はじめに

　工業化・近代化、国際経済への参入を推進してきたベトナムは、さまざまな変化のただ中にある。

　街の風景も変わった。ベトナムでは、主要な交通手段としてバイクがよく利用される。筆者が初めてベトナムに行ったのは1990年代半ばのこと。ヘルメットをかぶったバイクの運転手は、当時ごくわずかだった。今ではほとんどがヘルメットを着用するようになった。

　昔ながらの庶民的な市場やビンザンと呼ばれる昔ながらの庶民向けの食堂の数も減った。かつては記憶できるほどの場所にしかなかったスーパーの店舗数が増え、最近では、それにファストフード店、コンビニエンスストアまでが加わるようになった。

　また、こうした街の変化だけでなく、家族といった社会の基本的な単位についても、少子化の進行、家族による構成員の社会化機能の低下、子どもや高齢者のケアの問題などが、議論の俎上に上がるようになっている。

　ベトナムのほとんどの人たちが母語として使用するベトナム語の基礎には、家族関係が組み込まれている。家族に対して用いる人称代名詞を、自身と相手との関係性に応じてそのまま他者に用いるなど、社会における人と人との関係を、家族関係の構造世界をフォーマットとして認識する構造になっているのだ。このことは、人と人の距離感が比較的近いベトナム社会のあり方の、素因のひとつになっていると考えられる。したがって、工業化・近代化、国際経済への参入の影響により、家族のあり方が変化していくことは、ベトナムの人たちの社会認識のあり方に対しても影響を与える可能性がある。

　本書は、そんな変容期にあるベトナム社会に関するトピックからなる。いずれも筆者がベトナムで経験したこと、見聞きしたことが主題となっている。これらトピックの時代背景をご理解いただくために、まずはベトナム戦争後のベトナムの歩みを、少し見ておくことにしよう。

ベトナム戦争後の歩み

　1975 年 4 月 30 日、北緯 17 度線を境に対峙してきたベトナム民主共和国（北ベトナム）とベトナム共和国（南ベトナム）の間の戦争が終わった。この戦争は、ソ連（現在のロシア）と中国などの支援を受けたベトナム共産党率いる北ベトナムと解放勢力側が、アメリカなどの支援を受けた南ベトナムに勝利する形で幕を閉じた。

　その後、1976 年 4 月の国会代表選挙を経て、同年 6 ～ 7 月に南北統一国会が開催された。この国会で現在のベトナム社会主義共和国が成立する。

　当時ベトナムでは、資本主義的発展段階を経ないで社会主義に直接移行することが想定されていた。そのため、当初の国づくりの中心的課題は、社会主義的工業化（高度成長をともなう重工業化）の短期達成に置かれた。ソ連、東欧諸国、中国といった社会主義国だけでなく、資本主義を奉じる西側諸国からも支援を得られると見込んでいたため、工業化を達成する期間は、約 20 年と考えられていた。

　しかし、1978 年 12 月、ベトナムはカンボジアに侵攻する。ポル・ポト政権によるたび重なる国境侵犯とベトナム住民大量殺害への対応であった。そして1979 年 1 月にはプノンペンを占領し、ポル・ポト政権が崩壊すると、新たにカンプチア人民共和国が設立された。このことにより、国際社会から批判を浴びたベトナムは、その後孤立する。1979 年 2 月には、「懲罰」と称して中国軍がベトナム北部国境沿いから侵攻を開始し、中越戦争が勃発した。このような国際環境の変化、ソ連・東欧支援の有償化・借款化、自然災害の発生など、さまざまな条件の変化によって、社会主義的工業化の短期達成、社会主義国家の早期建設の実現は困難となった。

　戦時中から続いてきた生産や生活物資を国家が管理し、廉価な価格で労働者・賃金生活者に配給する制度は、外国からの援助に依存していた。またそれは、戦時中ゆえに人びとの間に存在した強い連帯感に支えられてもいた。終戦によって、制度を支えてきたそうした諸条件はすでに失われていた。

　それにもかかわらず、当局は、戦時中に形成された国家丸抱え制度を維持しようとした。しかし、たとえば農産物の生産を刺激するために買入価格を引き上げた場合でも、労働者・賃金生活者には安い配給価格で供給しなければならない。その差額のすべてが国の負担によって賄われた。このような無理の積み重ねによって、国は膨大な財政赤字を抱えるに至った。

　1980 年代前半には、抜本的な対策をとらなければ、国家自体が破たんの危機

に瀕するというような事態を迎えた。1985 年後半、当局はついに配給制度の廃止を断行する。配給価格をなくし、価格体制の一本化を図り、生活必需品の購入に必要な分を賃金に繰り入れる措置をとった。そして、あわせてデノミと新通貨の発行を行った。

しかし、当局は国家による重要商品の管理、価格の決定という計画経済の根幹部分については、維持した。それに加え、デノミや新通貨発行は、「通貨」に対する国民の信頼を喪失させ、物資の価値をさらに引き上げる結果になった。これにより、身動きのとれないベトナム経済は極端なインフレに陥った。

ドイモイ路線の採択

こうした予断を許さない時期に、ベトナム共産党第 6 回党大会（1986 年 12 月）が開催された。この党大会では、以下の方向性が定められた。

第 1 に、歴史的過程に対する認識を見直し、社会主義を建設する過程は比較的長期の過程であると捉え直すこと。

第 2 に、従来の重工業優先の高度経済成長路線はベトナムの現状に合わず、農業を重視するなど、民生の安定を優先し、現実的な経済建設を追求すべきこと。

第 3 に、現実の生産力水準を無視した国営化・集団化も上記第 1 点に鑑みて誤りであり、現段階では、市場経済原理を採用し、多セクターからなる混合経済体制をとるべきこと。

第 4 に、自力更生路線も誤りであり、国際分業に積極的に参加して、初めて経済発展を達成しうること。

このように、行き詰まった従来路線からの方向転換が第 6 回党大会で決められたことで、現在に至る「ドイモイ」（ベトナム語で、直訳すると「新しく変える」という意）と呼ばれる改革路線定着への道筋が開かれた。

そして、1989 年 3 月に開かれた第 6 期第 6 回党中央委員会総会までに、行政手段によらない市場メカニズムにもとづく価格形成などについて党内で方針が固められた。

経済の回復基調を背景として、1994 〜 1996 年には、臨時党大会、ベトナム共産党第 8 回党大会が開かれ、現在まで続く工業化・近代化推進の方針が採用された。そして、2020 年までに基本的に工業国になるとの目標が定められた。

対外関係では、1978 年 12 月のカンボジアへの侵攻と、その後の駐留によって悪化した西側諸国、中国、東南アジア諸国などとの関係が、1989 年 9 月のカンボジア駐留軍の撤退完了、続く 1991 年 10 月のカンボジア問題に関するパリ和

平協定の成立により、改善に向かった。

　そうした流れのなかで、ベトナムは1992年7月に東南アジア諸国連合（ASEAN）のオブザーバー資格を得、1995年7月には正式加盟を果たす。そして同時期にアメリカとの国交正常化も決まり、2000年7月には越米通商協定を締結した。2001年11月に党政治局が、国際経済参入に向けた準備を進めることを目的として、国際経済参入に関する決議を出した翌月、この通商協定は発効する。

　その後も、国際経済参入に向けた動きをベトナムは継続的に進め、1995年に加盟申請をして以来、11年以上に及んだ世界貿易機関（WTO）加盟交渉が2006年11月に妥結した。翌2007年1月、ベトナムは正式にWTO加盟国となる。

　そして、2011年1月に開かれたベトナム共産党第11回党大会では、物的資本の投入に依拠する従来の経済成長モデルから、労働生産性、技術レベルの向上にもとづく経済成長への新たな転換を目指す方針が決められた。新たな変革（第2のドイモイ）へのイニシアチブである。

　このように、工業化・近代化、国際経済への参入を推進し、工業国となることを目標に掲げるベトナムは、貧富格差の増大、環境問題など、さまざまな課題に直面しながらも、工業国になること、そして、それにともなう「産業社会」形成への道を歩みはじめている。

　本書の構成

　本書は29のトピックからなっている。生活に身近でこれまであまり取り上げられていないトピックを選ぶよう心がけた。内容から、大きくⅠ「街」、Ⅱ「移動」、Ⅲ「地方」、Ⅳ「五感」、Ⅴ「健康」、Ⅵ「外とのつながり」、という6つのパートに分け、巻末には略年表や地図を付した。

　執筆の際には、自身が経験し、直接見聞きしたことを柱のひとつとした。また、トピックの性質に応じ、インターネットを通してアクセス可能なさまざまなベトナム発の資料も柔軟に用いた。そうした意味から、本書は、「野」の記録といえるかもしれない。

　このことは、気楽に読んでいただけたら、という願いを込めてかつて書いたエッセイとリポートに加筆修正し、新たに自身で撮影した写真を加えたものが本書のベースのひとつとなっていることに由来する（巻末「出所一覧参照」）。読者の皆さんにお気軽に本書を手にしていただけたなら、望外の喜びである。

Ⅰ 「街」

第1話　通り

　ベトナムの大きな魅力のひとつに「通り」がある。ベトナムの「通り」は移動する場というだけでなく、人々の生活の現場である。ときに市場となり、ときに食堂・カフェとなり、友・知人・その場で初めて会った人たちと語らう空間となる。天秤棒や自転車でナス、くず芋、コールラビなどの野菜やパパイヤ、グァバ、ザボン、ジャックフルーツなどの果物を売り歩く人、蓮の花を売る人、宝くじを売る人、段ボール紙を回収する人、移動式体重計を押す体重測定業の人、靴磨きの人、セーオム（バイクタクシー）のおじさん──さまざまな人たち、人生が交錯する。

　「通り」のネーミングも興味深い。数千年前から現代に至るベトナムの英雄、詩人、芸術家、歴史的事件、品物などに拠って名付けられている。名称の由縁を少し学ぶだけでベトナムに対する理解を深めることができる。2013年10月4日に逝去した、フランスとのディエンビエンフーの戦いを勝利に導いたことで有名なヴォー・グエン・ザップ将軍（1911～2013年）にちなんだ「通り」も、将軍の故郷クアンビン省だけでなく、各地方で登場した。

ハノイでの日常から

　2014年3月末まで1年間滞在したハノイ市では、リュウザイ通りにあるベトナム研究機関に通った。この通りはリー朝（1009～1225年）の下で開かれた旧リュウ（柳）通りに元々はゆかりがある。旧リュウ通りには柳の木が植えられていたという。

　午前の仕事を終えると、すぐそばのドイカン通りによく昼食に出かけた。同通りの名称は植民地支配を続けるフランスに対して1917年に蜂起したカン隊長（1881～1918年）にちなんだものである。ドイカン通りには、食堂、移動式の飲食店が多数出ていた。ブーンチャー（肉もしくは平たい肉団子の炭火焼き・香草ともち

さまざまな人が行き交う「通り」(ハノイ市)

米麺のつけ汁セット)、チャーオ(スープ状に煮込んだおかゆ)、バインミー(ベトナム風フランスパンにベトナムハム、なます、キュウリ、コリアンダー、トウガラシなどをはさんだもの)など、さまざまな食を勤め人・労働者・学生らが楽しんでいた。この通りには郵便局もあったから、定期的に日本に提出物を送る必要があった筆者は、昼食時以外にも、凸凹もあり、多数のバイクが停めてある歩道を、ときに車道にはみ出しながら歩いた。

　筆者がしばしば昼食時に通った店は、バインミー、ソーイ(おこわ)、バインバーオ(具材入り蒸し饅)などを売っていた。間口の幅は約2メートル、奥行きは4メートルぐらいで、店内に入れるのは5人ほど。テイクアウトのお客も多かった。うちひとつの座席では(店に向かって右側奥)、女主人の夫がよく昼食(朝食?)を食べていた。店内の左隅上部にテレビが設置されていたが、同じ左側に座っても無理に首を上げることなく、右側の壁に掛けられた鏡に映る画像を眺めることができた。

　バインミーチュン(バインミーに卵炒めを挟んだもの)とソーイゾー(おこわにベトナムハムをのせたもの)を筆者はよく注文した。無表情な女主人はけっして同時に料理を出さない。まず小ぶりの丼にソーイゾーを盛ってくれる。それを食べている間にバインミーチュンを調理し、レンジのなかに入れて保温しておく。筆者がソーイゾーを食べ終わるのをみはからってバインミーチュンを手渡してくれるので、ベトナム風フランスパンのパリパリ感がよく保たれていた。しめて3万ドン(当時1ドル=約2万1000ドンぐらい)であった。

食後のカフェ

　手早く昼食を終えると、ドイカン通りを8分ほど歩き、ヴァンカオ通りとの交差点近くにあるカフェへ。この通りの名称は、日仏共同統治からの独立を目指していた1940年代前半に、現在のベトナム国歌となる「進軍歌」をつくったヴァン・カオ（1923〜1995年）にちなんだものである（「第2話　ヴァンカオ通りから」参照）。店の主人は自動車会社の研修で日本に滞在した経験を持っていた。店員はバイトの学生が主力。店の近くにある大学の修士課程に学ぶハティン省出身の青年、会計が専門で就職活動中のタインホア省出身の女性がいつも気持ちよく迎えてくれた。バインミーの注文があると、彼らが「通り」を渡って他の店から買ってくるというシステムをこの店ではとっていた。麺類の注文があった場合には、店の右脇の小道にある小売店まで即席麺、食材を彼らが買いに出る。買い出しに出るときの彼らの背中、戻ってきた際の照れたような笑顔が今も眼に浮かぶ。

　日によって異なるが、ヴァンカオ通りでは昼食の時間帯に女性2人、男性2人計4人の靴磨きの人たちがそれぞれ客を求めて回っていた。ある日、断り切れずにそのうちのひとりに仕事をお願いした。まず靴の代わりとなるサンダルを足下に置いてくれ、彼女は自身所有の木製の小イスに腰掛けた。やや張りを失くした大きめの黒靴を手にし、靴ひもを抜く。使い古した靴。においもするはずなのに、顔色ひとつ変えない。黙々となめらかに作業を進める。磨き終えると水が隙間に流れこむように靴ひもを元に戻す。靴はきれいに仕上がった。価格は1万ドン。職人の技であった。

第2話　ヴァンカオ通りから

　ベトナムの軍団は行く　心を一つにして救国のために
　その足音は遠く荒れ果てた道に響く
　戦勝の血に染まる旗は祖国の魂を担う
　遠くに鳴り渡る銃声が進軍歌と響きあう
　栄光の道は仇敵の屍を乗り越え
　困難に打ち勝ち共に抗戦拠点を打ち建てん
　人民のため闘って止まず

急ぎ戦場へ進まん

進め！　共に進め！

我らがベトナムの山河は揺るがず

（石井米雄監修、桜井由躬雄・桃木至朗編『ベトナムの事典』同朋舎、1999 年 366 頁）

2013 年 3 月から 2014 年 3 月まで筆者はハノイ市に赴任した。そのときの所属機関は、リュウザイ通り（「第 1 話　通り」参照）にあった。日本大使館がある通りである。

交差点を越えて西湖方面にリュウザイ通りをそのまま進むと、ヴァンカオ通りに入る。きれいに植栽された中央分離帯を間に挟んだ幅広の道路の両脇には、カフェ、焼き肉や海産物料理を売りにしたレストラン、ケーキ屋、韓国系フライドチキン店、小ぶりのスーパー、洋服店、銀行、医療機関、大規模なスポーツ施設などが並んでいた。通りの名称は、冒頭に記したベトナムの国歌「進軍歌」を作詞、作曲したヴァン・カオ（1923 ～ 1995 年）からとられた。2005 年のことである。没後 10 年の節目に際し、その功績が称えられてのことであった。

独立を願う思い

「進軍歌」には、この曲が作られた当時の、自国の独立を願うヴァン・カオならびにベトナムの人たちの強い思いが込められている。ちなみに旧宗主国フランスの現在の国歌ラ・マルセイエーズも、1790 年代前半のフランスを取り巻く状況を反映した、勇壮な国歌として知られる。

ヴァン・カオの本名はグエン・ヴァン・カオ。ハイフォン市出身で、音楽家としてだけでなく、画家、詩人としても有名である。音楽家としては、1940 ～ 1950 年にかけて流行した「新音楽」と呼ばれるベトナム現代音楽の代表的な人物のひとりとして評価されている。

1944 年にヴァン・カオによって作詞、作曲された「進軍歌」は、当初ベトナム独立同盟（以下、ベトミン）の活動を念頭に作られた。ベトミンは、1941 年 5 月にカオバン省パクボーで開かれたインドシナ共産党第 8 回中央委員会議で創設が決定された、日仏植民地支配からの独立達成を目的とする民族戦線である。

インドシナ共産党の全国会議が開かれた後、ベトミンが中心となって 1945 年 8 月 16 日にタンチャオ（トゥエンクアン省）で開かれた国民大会の場で、ホー・チ・ミンを主席とする臨時政府の樹立が決定された。同主席の提案により「進軍歌」は国歌に選ばれ、1946 年 10 月 ～ 11 月に開かれたベトナム民主共和国第 1 期第

ヴァン・カオ（出所：https://upload.
wikimedia.org/wikipedia/commons/1/1a/
Vancao.jpg）

2回国会会期において、正式にベトナム民主共和国の国歌として選定された。

　そして、ベトナム戦争を経て南北統一後に登場したベトナム社会主義共和国においても、「進軍歌」は国歌に選出される。1981年に新たな国歌を制定するための公募が行われたが、1年ほどでその話は立ち消えとなった。

新たな時代の論議

　筆者がハノイ滞在中に同国歌がふたたびベトナムで話題にのぼったことがあった。

　2013年11月28日、第13期第6回国会会期において、ベトナム共産党第11回党大会（2011年）での党綱領改訂を受けて検討作業が続けられていた2013年憲法が、正式に制定された。それに先立つ同年前期の国会議論のなかで、ザーライ省選出のフイン・タイン議員から歌詞の内容修正の研究を求める提案が提出されたのだ。

　たとえば、「ドゥオン ヴィン クアン セイ サック クアン トゥー（上記訳文中では「栄光の道は仇敵の屍を乗り越え」の部分）」という文言は、新しい時代にはふさわしくないとの意見であった。この話を知ったとき、賛否は別にして、そうした意見が公の場で議論される時代をベトナムが迎えていることを理解した。

　かつて「ベトナム＝戦争・紛争」というような時代があった。しかし、1989年9月のカンボジア駐留軍の撤退完了以降、まだ領土、領海の画定をめぐる問題は残るものの、武器の使用をともなう自国が係争主体となった国際的紛争からは、ベトナムは基本的に自由になった。

短髪から長髪へ

　ハノイ赴任中、ヴァン・カオの展示物を見るために、ハノイ市ホアンキエム区にある革命博物館を訪れた。同時代の陳列品に混じり、「進軍歌」の楽譜・歌詞が、ギターを手にした短髪の若かりしヴァン・カオのモノクロ写真とともに、額縁に収められていた。B5 に満たないと思われる用紙に並ぶ小さな文字に、ヴァン・カオの繊細な人柄が感じられた。

　ヴァン・カオは、1956 年のニャンヴァン・ザイファム事件（中国共産党の「百花斉放」政策に影響を受けたベトナム北部の作家、知識人、学生が創作・文芸の自由を当局に要求したことが原因で、後に摘発された）に関連して、不遇の時代を経験した。

　しかし、1986 年 12 月のベトナム共産党第 6 回党大会でドイモイ路線（「はじめに」参照）が採択されたことにより、その後、事件関係者は創作活動に復帰することを認められた。「進軍歌」とは趣を異にする、甘く抒情的な調を持つヴァン・カオの楽曲にベトナム国民はふたたび接することができるようになった。

　ヴァンカオ通りを見るたびに、老いて長髪となったヴァン・カオの顔、表情が脳裏に浮かぶ。その眼差しは、北と南、時代の垣根を越えて、ベトナムの人々を見つめている。

第 3 話　街の歴史

　2014 年 8 月、ベトナム南部のメコンデルタ地域の調査に出る前の日のこと。歯磨き粉など調査行に使う生活用品を調達するため、少し外出した。それまで仕事場との往復が主で、自宅周辺を歩く機会はほとんどなかった。

僧の像

　ホーチミン市 3 区内の拙宅を出て左に折れ、一方通行のグエンディンチェウ通りをカクマンタンターム（8 月革命）通りの方向に歩いてみた。額に汗が浮

時の政権に抗議して、焼身した僧侶
クアン・ドゥックの像（ホーチミン市）

かび、すぐにシャツが湿り出す。衣料品店、アパート、各種料理屋、靴屋など
が並ぶ区域を抜けて交通量の多いカクマンタンターム通りの辺りまで来ると、
右手に座禅を組む僧の大きな像があった。像の背後には炎が燃え盛っているよ
うに見える。何だろうと思い、通りを横切って、公園区画に入ってみると、入
口部分につぎのような碑文が刻まれていた。

　宗教的差別、仏教弾圧を行なう南ベトナム政府のゴー・ディン・ジエム政権（当
時）に対し、ベトナムにおける仏教の永久の存続、祖国の太平、国民の安楽のた
めに、仏教に対する弾圧、テロを止めるよう要求し、僧侶クアン・ドゥック（本
名ラム・ヴァン・トゥック、1897～1963年）が、1963年6月11日にファンディンフ
ン通りとレーヴァンズエット通り（現在のグエンディンチィェウ通りとカクマンタ
ンターム通り）の十字路で焼身を遂げた。この行いは国内外の世論を喚起し、反ジ
エム政権闘争の推進に貢献した。仏教、平和、民族独立、祖国統一のために僧
が払った犠牲、功績と徳行に対する恩に報いるため、ホーチミン市が像を建立
した。

　振り返ると、カクマンタンターム通りをはさんだ対面十字路角にも、この僧
を弔う塔が建てられていた。

　翌日からの調査のことばかりに頭を奪われていた筆者は、事件の概要につい
てかつて学んではいたものの、現場が自身の住む区域のそばにあることを、こ

のとき初めて知った。

　カクマンタンターム通りを渡り、さらにグエンディンチィェウ通りを進む。仏教書籍の店、おもちゃ屋など、各種店舗が並ぶエリアを少し歩くと、多くの人が集まる所に出た。右手方向、左手方向では、やや趣が異なって見える。右手方向にある小道にまず入って見ると、小道の両側にブーン（餅米麺）やミー（小麦粉麺）などの麺料理、ベトナムスイーツの代名詞チェーやパパイヤ、マンゴー、スイカなどのカットフルーツ、焼き菓子など、さまざまな商品を販売する人たちや買い物客で賑わっていた。また、小道沿いにはヴォンチュオイ（バナナ園）市場があった。

ある建物

　店が途切れる辺りまでその小道を歩き通した後、引き返して次は左手側のエリアに向かう。入口角の店にはバナナ屋さんがあり、メコンデルタやダラット産のバナナを売っていた。通り沿いにあるよろず屋に入り、歯磨き粉を購入する。少し疲れて、椰子の汁でも飲んで少し休憩しようと思いながら歩いていると、グエンディンチィェウ通りから、ヴォーヴァンタン通りに抜けようという辺りで、周囲の建物と雰囲気の異なる硬質な建物があった。隣にある黄色地に赤字の看板を据えた喫茶店とは、対照的な趣であった。

　建物内をのぞいてみると、若いベトナム人女性が立っていた。先客（欧米の中年夫婦）がいるようだ。自分も入っていいかを確認して、中に入る。基本的に2階建ての建物内には、天井、床下にも使用スペースがあった。2階に上がってみた後、1階に降りて床下の隠し蓋をずらし、地下への階段を数段降りると、AK銃、短銃、ロケット弾、手榴弾、弾丸（すべて展示用）などが多数並び、積まれていた。

　1968年に南ベトナム全土で展開されたテト攻勢の際、南ベトナム政府の中枢である大統領府を攻撃するため、果物カゴの下に隠すなど、さまざまな方途により密かに武器がこの地下室に運び込まれた。攻勢決行を前にして、カンボジアの隣に位置するタイニン省で訓練を積んだ15人の兵士がこの場に集まった。武器を手にした兵士たちは事前の計画にもとづいて独立宮殿に対する攻撃を行なったものの、反撃を受け、援軍もなく、生き残った兵士も捕縛された。

　しかし、テト攻勢は南ベトナム政府を支援するアメリカ政府、そしてアメリカ国民に心理的な動揺を与え、その後のベトナム戦争の情勢にボディブローのように効いてくることになる。

　ベトナム戦争の時代、北緯17度線以北はアメリカ軍による空爆に晒され、以

南は解放勢力・北ベトナム軍と南ベトナム軍・アメリカ軍が、直接矛を交える地域であった。

　予期せぬ形で自身が暮らす街の歴史に接した筆者は、数年前に実施したその北緯 17 度線が通るクアンチ省での調査の際、父親が兵に殺害された現場の家で今もなお暮らす女性に、その自宅で会ったことを思い出した。話を聞いている最中にそのことに自ら触れた女性は、こらえようと揺れる瞼から涙をこぼした。

　2015 年 4 月 30 日、ベトナムはベトナム戦争終戦後 40 周年を迎えた。戦争のない平和な時代となり、着実に経済発展を遂げる現在のベトナムも、かつて戦争、紛争の地であった。

第 4 話　ホーチミン市博物館

　「オーイたばこ！」　車道をはさみ、反対側の歩道で路上商いをしている女性に対して、筆者側にいる路上喫茶の女性店主が呼びかけた。自分の店で休んでいた客が一服所望したのだ。すぐ近くに横断歩道がある。向こう側の女性は歩いてこちらに渡ってくるだろうと思っていると、やおら右腕を空に向かって突き上げ、腕を思い切り振り下ろした。見事なオーバースロー。煙草の箱は車道に広がる多くの自動車、バイク、自転車の頭上を越えて、こちらに着地した。

リートゥチョン通り
　ホーチミン市中心街に位置するこの現場から同じリートゥチョン通りを 1 分ほど歩いた所に、ホーチミン市博物館はある。同博物館前の歩道では、目が不自由な男性とその母親とおぼしき女性が朝方よく車道近くに立っていた。男性が片方の鼻の穴で笛を吹き、その隣りで女性が宝くじを売るのだ。また、果物売りの女性が自転車でやって来て、各種車両の運転手たちを目当てに道路脇で商いをしていた。このように、筆者が 2014 年 3 月末から 1 年間滞在した折りに見た同博物館の周辺は、どこか庶民的な雰囲気であった。

　ちなみに筆者の通勤経路には博物館がいくつか点在していた。たとえば帰り道。リートゥチョン通りをホーチミン市博物館の方向に進み、左手にホーチミン市博物館を見ながら右折してパスター通りに入る。同通りをまっすぐ歩き、ナムキーホイギア通りに面する統一会堂（旧南ベトナム大統領府）を左手に見なが

ホーチミン市博物館

らそのまま進むと、ヴォーヴァンタン通りに出る。左折して道なりに歩いてい
くと、右手に戦争証跡博物館が見えてくる……というような具合であった。

　そのなかで最も身近だったのが仕事場に程近いホーチミン市博物館だった。
といっても、この博物館の当地に関わる自然、地理、文化、芸術、歴史などの
展示に特別な関心を持っていたわけではなかった。

　そんな不謹慎な筆者が、ホーチミン市博物館のウェブサイト掲載の諸資料を
読み、この博物館の建物（以下、「建物」と記す）の数奇な歴史の一端を知ったのは、
随分後になってからのことだった。以下、それらの資料を含むいくつかの現地
資料に依拠しながら、その歴史を少し概観したい。

「建物」の歴史

　ホーチミン市博物館の「建物」は、フランスのインドシナ植民地支配が強ま
る 1885 ～ 1890 年に内地の産物を展示する商業博物館として建設された。だが、
竣工後には仏南圻（仏統治時代のベトナム南部）総督の私邸とされるなど、政治的
に用いられる。

　1940 年 9 月の北部仏印進駐、1941 年 7 月の南部仏印進駐を経て、1945 年 3 月
9 日に「明号作戦」発動による仏印武力処理を行った日本も、同作戦発動後、こ
の「建物」の主となった。そして、その年の 7 月、日本軍庇護の下、グエン朝
のバオダイ帝によって首相に指名されたチャン・チョン・キム政権に引き渡さ
れた。同年 8 月、日本軍が連合国に降伏したとの情報を受けて、インドシナ共
産党の指導下にベトミンが蜂起する 8 月革命が起きる。「建物」も接収されて、
南部暫定行政委員会、後に南部人民委員会として使用される。その後 1945 年 7

月のポツダム協定に基づき、北緯 16 度線を境にベトナムは南北に分断され、16度線以北には中国国民党政府軍、以南にはイギリス軍が進駐してくる。これにともない、「建物」は同年 9 月 10 日にイギリスに引き渡された。しかし 9 月下旬、イギリスの支持を受けたフランスが再侵略を開始する。フランスは 1946 年 3 月にベトナム民主共和国側と初級協定を結ぶ一方で、南部に傀儡国家を樹立し、政府の居所として「建物」を使用する。この傀儡国は、1949 年 6 月にフランスの後押しを受けて形式的にベトナム全土を統一したベトナム国に併合される。

ベトナム国元首に就任したバオダイからジュネーブ会議期間中の 1954 年 7 月に組閣を要請されたゴー・ディン・ジエムは、1955 年 4 月にバオダイに引退を迫り、6 月には元首に就任した。さらに同年 10 月には共和制か王政かを問う国民投票を実施し、圧倒的な支持を得てベトナム共和国を発足させ、初代大統領に就任する。この間、「建物」は国賓用施設など重要施設として使用された。

1962 年 2 月 27 日に大統領府が空爆被害を受けると、「建物」は暫定的に大統領府として使用された。1962 年 5 月から 1963 年 10 月にかけて地下秘密施設の建設工事が行われ、ジエム大統領らはクーデターで命を落とす 1963 年 11 月 2日の前日、一時その施設に避難している。

そして、大統領府の再築後には、ベトナム共和国の最高裁判所として「建物」は使用された。

ベトナム戦争後

1975 年 4 月 30 日にサイゴンが陥落し、ベトナム戦争が終わる。翌年には、北ベトナムの系譜を引き継ぐ現在のベトナム社会主義共和国がかたちづくられた。程なく、「建物」は博物館として使用されることが決まり、1978 年 8 月 12 日にホーチミン市革命博物館とされた。そして、1986 年 12 月のベトナム共産党第 6 回党大会でドイモイ路線(「はじめに」参照)が採択された後の 1999 年 12 月 13 日、現在のホーチミン市博物館と改称された。

今では館内に入ると、新婚カップルが記念撮影をしていることもある。

第5話　街のコピー屋さん

　ベトナムの街の風景のひとつにコピー屋さんがある。「PHOTOCOPY」(時々つづりが「PHOTOCOPPY」だったりする)の看板は、街になじみ、溶け込んでいる。仕事の関係上、報告資料、調査票、参考文献など、コピーをとる必要が頻繁にある筆者は、よくお世話になる。

　店に入ると、必要部数、ホッチキス止めか否か、製本するか否かといった依頼事項を伝える。そして、コピーが出来上がるまでの間、店のプラスチック椅子や、店と歩道との段差などに座って待つ。時間がない場合には、店の人と少し交渉してピックアップの時間を設定する。

　証明書や授業の資料のコピーなどを頼みに来る個人客、学生だけでなく、会社、組織で用いる配布資料のコピー依頼もある。会社、組織にとっても、自前のマンパワーで大量に書類を印刷し、きれいに整えたり、製本化したりする手間暇、費用を考えれば、プロの技できれいに仕上げてくれるコピー屋さんに仕事を頼むコストは、許容範囲なのだろう。二度目の長期赴任時 (2013年3月～2015年3月) の筆者の経験では、片面コピー1枚を頼むと1000ドン (当時1ドル＝約2万1000ドン)。枚数が増えると片面コピー1枚250ドンなどに価格が下がった。

最初の店

　初めて筆者がベトナムのコピー屋さんを訪れたのは、最初の長期赴任時 (1999年3月～2001年3月) のことだった。

　所属機関があったハノイ市ドンダー区のターイハー通りにその店はあった。ドンダーは18世紀後半に後にタイソン朝 (1778～1802年) の皇帝となるグエン・フエ (1753～1792年) が清の大軍を打ち破った地である。

　ちなみに、近くにあるドンダー文化公園には、グエン・フエの巨大な像が建てられており、筆者が長期滞在中だった2014年2月4日には戦勝225周年の式典が行なわれた。

　店を経営していたのは、二人そろって人懐っこい笑顔が印象的なナムさん夫婦。ナムさんは小柄で当時すでに中年の域に達し、鼻下にチョビ髭を生やしていた。奥さんは童顔で、年の差夫婦に見えた。夫婦には幼い一人娘がいた。

　同店のスペースは2畳を少し超えるぐらい。白地に赤字の看板が店前に立っ

ハノイ市ラーンハ通りのコピー屋さん（左端）

ていた。当初はコピー機１台とプラスチック椅子が数個置いてあるだけだった。店の裏の家屋に住む家主から間借りしており、家賃が高いとナムさんはこぼしていた。

　筆者が店に通いはじめてしばらくすると、ナムさん夫妻は中古コピー機を１台追加した。これによって、夫婦が同時に仕事をすることが可能になったが、店内はすれ違うのも難しい空間となった。ナムさんは暇があると「通り」に向かって右隣でバイク修理店を営む青年たちとトランプ遊びに興じていた。お客さんもけっこう来ており、店は繁盛しているように見えた。

　しばらくコピーの用事がなく、久しぶりにコピーを頼みに行くと、店が閉まっていた。バイク修理店の青年たちに聞くと、ナムさん夫婦は店を引っ越したという。「家賃が高い」とこぼしていたナムさんの表情が頭に浮かんだ。

　後日、自転車で帰宅途中にばったり会い、互いに手を上げて挨拶した。ナムさんはいつもの笑顔を浮かべていた。彼の乗った自転車は、色とりどりのバイク、自転車、自動車の海にすぐに飲みこまれた。

変化の波

　あれから 10 年を超える歳月が流れ、街のコピー屋さんの様子もかなり変わった。二度目の長期赴任時にハノイ市で通ったラーンハ通りのコピー屋さんは、30 代くらいの顔がよく似た男女２人により営まれていた。ぼやけた黄地に赤字の少しさびれた看板が醸し出す店の雰囲気は、ナムさん夫婦の店とどこか似ていた。店にはコンピュータ２台が導入されており、それらにつながれた印刷機２台、コピー機１台という設備構成であった。使い古され、カバーもとれて中身

がむき出しのコンピュータ。ひょっとしたら耐久消費財なのかもしれないと、筆者のコンピュータに対するイメージは変わった。

　この店では、書類のコピー、製本だけでなく、コンピュータを用いたサービス（後述）、名刺の作成、証明書のプラスチックによるコーティングなどを、主な業務としていた。雑然としたショーケースのなかには、封筒やいくつかの文具が置いてあり、その販売も行なっていた。

　ある日、コピーをしに行くと、女子学生が店のコンピュータ前に陣取っていた。見ていると、論文をきれいに編集して印刷しようと、店の人の指導を受けながら作業に取り組んでいた。その隣では、年配の男性が何かの組織の名簿作成を依頼し、コンピュータ画面を指さしながら、店の人に指示を出している。店の人は滑らかにキーボードを操作し、その要求を画面に反映させていた。

　また、別の日に行くと、若い女性が店のコンピュータでメールをチェックしていた。メールを返信し終えると、女性は数千ドンを支払い、バイクで去った。

　土地は変わるが、ハノイでの1年間の赴任期間を経て移り住んだホーチミン市で通ったコピー店は、コピー機6台、製図印刷機2台、コンピュータ5台という設備構成であった。青いユニフォームを着た店員が、注文を受けた仕事を黙々とこなしていた。こうした店はナムさん夫婦の店で培われた筆者が持つコピー屋さんの原イメージからかけ離れており、「組織」を感じさせた。

　ベトナムの街のコピー屋さんにもIT化の波が及んでいる。コンピュータの使用に通じ、顧客のさまざまなニーズに対応するためにサービスを多様化しなければ、経営を維持していくことが難しくなっている。

　ナムさん夫婦の店も、成長した娘さんに促され、今頃コンピュータを導入しているのではなかろうか。

第6話　郵便局

　「TOMATO　MINORA？」　EMS（国際スピード郵便）書類の送り主名記載欄に郵便局員がタイプした文字を見て、思わず吹き出した。筆者は書類に自身の名前を書き込んだつもりだった。しかし、字が読みづらかったためか、担当した局員がそう打ち込んだのだ。その郵便局では、顧客が所定の用紙にボールペンなどで書き込んだ宛先名・送り主名とそれぞれの住所・電話番号を、担当局

ラムドン省ダラット市内の郵便局

員が入力作業するシステムになっていた。目の前で客が待っており、早く処理
しなければというプレッシャーがかかる。そうしたなかで、ベトナム人だけで
なく外国人の手書き文字を正確に読み取ることは容易でない。

　海外に滞在した折、家族・友人などに手紙やハガキを出すために、土地の郵
便局にお世話になったことがある方も多いのではなかろうか。距離を隔てた人
と人とをつなぐ郵便局には、独特の魅力がある。2015年3月まで1年間暮らし
たベトナム南部ホーチミン市の中央郵便局の建物は、1886～1891年に建設され、
欧風建築様式とアジア装飾の混成美を誇る。仕事をしていた場所から歩いて7
～8分の所にあったため、筆者はこの郵便局を利用することが多かった。訪れ
るたびに、天井が高く、広い建物内で記念撮影をする観光客の姿が見られた。
また、コンサパリ通りをはさんでサイゴン大教会が鎮座していることもあって、
ウエディングドレスに身を包んだ男女がカメラマンの前でポーズをとる姿をよ
く見かけた。

さまざまな経験

　これまで郵便局ではいろいろ興味深い経験をしてきた。初めてベトナムに長
期滞在した北部ハノイ市での1999年3月からの日々では、赴任当初、同じ大き
さ・重さの郵便物やハガキを日本に送るたびに、その日、担当者によって価格
が変わった。若干上乗せ気味の価格でも目くじらを立てるほどではないかもし
れない。しかし、少し考えると気分さっぱりともいかず、何とか正規の価格で
済まそうと肩に力が入った。同じ郵便局に通い続けて局員全員に顔を覚えても
らい、洪水被災地に飲料水など支援物資をこの郵便局から送ったときから、状

況は改善した。

　2007年のことであるが、こんなこともあった。ベトナム中部北方地域のある省に現地調査で出かけた際のこと。海外に調査に出る場合、宿泊先を日本の職場と現地事務所に連絡する必要がある。しかし筆者のそれまでの経験では、当該地方の各行政レベル（省、県、社）の人民委員会（地方の役所）を上から順に挨拶して回ってやっと、認められた調査地が判明するというケースがほとんどであり、このときもそうだった。早朝にハノイを車で出発して調査地にたどり着いたのは夕方近く。人民委員会職員の紹介を受けて宿泊先が決まり、日本側と現地事務所にFAXで知らせるため、郵便局に向かった。手書きの送信用紙を渡すと局員の女性は気持ちよく引き受けてくれた。しかし、何度試みても送信できない。別の場所を考えなければと帰りかけると、「送信を試みたのだから送信試み料金を支払ってほしい」と一言。筆者にとって初めて聞く請求項目であった。

素晴らしいサービス

　少し昔のエピソードを紹介したが、ベトナムの郵便局には日本の郵便局にはない素晴らしいサービスがある。書籍など、送付物を何も包まずそのまま持ち込んでも、中古の段ボール箱などに梱包して送付してくれるのだ。お願いすると、担当職員が、手慣れた手付きで適当な中古段ボール箱を選び出し、四つ角にハサミを入れるなどしてサイズを調整し、中で送付物が動かないように詰め込む。そして、艶のある肌色の幅広テープの真ん中をボールペンの先で突っついて適度な長さにし、入念に要所を押さえる。郵便局員たちの作業振りは何度見ても、手際がよく、淀みがなかった。

　ベトナムの郵便サービスは、情報・通信省傘下のベトナム郵便総公司によって担われている。

　同総公司のウェブサイト（2015年4月9日アクセス）によれば、定款資本額は8兆1220億ドン（当時1ドル＝約2万1000ドン）、職員・従業員数は4万2777人。サービス拠点数は、ベトナム全国で1万6436カ所（代理店4484、郵便ポスト999カ所などを含む。平均サービス半径約2.53キロメートル、約5548人にひとつの割合）にのぼる。貯金・送金などの金融サービス、生命保険の代理販売など、業務は多岐に渡る。ちなみに日本の郵便局数は2014年3月31日現在、2万4182カ所で、約5248人にひとつの割合であった。

　また、ベトナムの場合、全体のほぼ半分の8088カ所は人口の7割程が暮らす農村部の「文化郵便局」となっている。この型の郵便局では、住民が新聞・雑

誌を無料で読めるスペースなどが設けられている。2013年12月末現在の農村部の基礎行政単位数は9001であったから、農村部にある郵便局の約9割をこのタイプが占めていることになる。

　筆者の帰国後、農村部の「文化郵便局」の拡充、郵便代理店の大幅削減などの動きがあったようだが、ベトナム全土にネットワークを持つ郵便局は、多くのベトナム国民の生活において、引き続き大切な役割・機能を果たすと思われる。

第7話　ファストフード

　2013年10月、ベトナム北部紅河デルタに位置するハーナム省で調査を行なった際のこと。日曜日の午後に省都フーリーに少し出かけた。かなり汗をかき、歩き疲れて少し休もうと若者向けの店に入った。席に座り、店のメニューを見ると「KFC」とある。「そうだったっけ？」と店の名前をもう一度確認すると、やはり違う。カウンターの裏では店員が1人横になって眠っていた。起きている店員に話を聞いて、「KFC」という名前の鶏肉料理なのだと分かった。

チェーン店大手が進出
　KFC（ケンタッキーフライドチキン）のウェブサイトによれば（以下に言及する各社情報も主に各社ウェブサイトに基づく。アクセス日はいずれも2015年1月時点）、同社は現在、100を超える諸国に2万超の店舗を有している。KFCのベトナム第1号店はベトナム戦争終了後22年余りを経た1997年12月にホーチミン市で開かれた。ちなみに日本での1号店は第2次世界大戦終了後25年近くを経た1970年11月である。

　ハノイ市（2006年6月）、ハイフォン市（2006年8月）、ダナン市（2009年11月）、カントー市（2006年8月）を加えた5つの中央直轄市（括弧内は当該市内第1号店が開店された時期）を含め、全国63省・中央直轄市の19を超える省・中央直轄市で140超の店舗をKFCは展開中という。

　ベトナム人の鶏肉好きと合わせて、フライドチキンとタレかけご飯のセットなど、独自メニューに力を注いできた成果なのだろう。2013〜2015年に訪問した5つの中央直轄市で見かけた各店舗では、どの店でも親子連れ、若者たちの姿があった。若者、特に子どもの食生活への浸透が著しいのではないか。

ホーチミン市パスター通りのファストフード店

　ベトナムへの進出が著しいロッテ・グループのロッテリアは、1998 年 2 月に
ベトナムに 1 号店を開設した。同社はベトナム国内 30 省・中央直轄市に 200 店
舗以上を展開している。ベトナムの都市部における「ロッテリア見かける率」
はかなり高い。ハンバーガーだけでなく、フライドチキン、牛焼肉とご飯、スー
プのセットなど、多様な品揃えが同社の強みだ。

　KFC のほかにベトナムで店舗を展開中の鶏肉料理をメインとするファスト
フードチェーン店といえば、ジョリビー (Jollibee)。スパゲティーやご飯と、フ
ライドチキンのセットなどのメニューがある。ミツバチをマスコットとするジョ
リビーはフィリピン発のファストフードチェーン店であり、東南アジアに多い
甘味のある味付けが特徴である。アメリカ、中国、香港、ブルネイ、カタール
などにも店舗を持つ同社は、1996 年にベトナム第 1 号店を開店して以来（2018 年
5 月段階の同社サイトでは 2005 年に第 1 号店開店と記述が変更されていた）、50 を超える
店舗をベトナムで展開している。

　フォー 24 (Phở24) は、フォー（ベトナム汁米麺）のチェーン店である。後に手放
したが、ベトナム人のレー・クイ・チュン氏が創業者のフォー 24 は、2003 年 6
月に第 1 号店を開店した。2012 年 6 月までに 70 店舗を開店し、うち 7 割が国内、
3 割が海外店舗である。各種フォーのほか、生春巻き、揚げ春巻きや、ご飯と目
玉焼き、焼き肉のセットなど、各種メニューがある。

　このほかに、ピザハットも 2007 年 1 月から店舗を展開しており、マクドナル
ドは 2014 年 2 月に第 1 号店を開店した。

　なお、これまで紹介してきたチェーン店はいずれもホーチミン市で第 1 号店
を開店しており、コーラなど各種飲料、ソフトクリームなどデザート類も販売

している。

魅力溢れる地元の店

　しかし、ファストフードというのであれば、ベトナムの大衆料理店、路上店、自転車店、バイク店も負けてはいない。たとえば大衆料理店は、店先に料理をビュッフェのように並べているタイプの店も多く、魚の煮物やトマトのひき肉詰めなど、指さして注文すればすぐに皿にのせて持って来てくれる。路上店、自転車店、バイク店についても、汁麺（米、緑豆、小麦粉を原料とする各種麺がある。汁麺だけでなく、これらの麺を焼きそばのように調理するなど、いろいろな料理がある）、バインミー（ベトナム風フランスパンにさまざまな具材をはさんだもの）、とろみたっぷりのカニ玉スープ、各種おこわを販売する店など、多種多様な店がそろっている。また、飲料も豊富で、たとえばカムサイン（皮が深緑色のオレンジ）の生ジュースは、店のおばさんが素早くカムサインをカットし、絞り器に押し付けて果汁をとり、透明なプラスチック容器に一気に流し込む（筆者の経験では店の人は砂糖を入れることが多い。カムサインそのままの味を楽しみたい人は砂糖なしと伝えた方がいい）。これらの店はいずれもテイクアウトに対応してくれる。

　統計科学院（2010年）によると、路上店などのインフォーマルセクターで働く人たちは、約1090万人（働く人の27.7%）。経済規模はベトナム国内総生産の約2割相当に達する。こうしたセクターが緩衝剤の役割を果たしているおかげで、ベトナムの人びとの生活の安定が保たれているという側面もあると思われる。

　筆者の帰国後、2017年12月にハノイ市ホアンキエム湖近くにマクドナルドのハノイ市第1号店が開店した。ホアンキエム湖は、歴史も古く、ハノイの中心地である。KFCも着実に地方に店を広げ、ロッテリアも店舗数をのばしている。ジョリビーは2018年1月に100店目の店舗をカントー市に開店した。昨今では食品の安全性に対するベトナム国民の意識も高まっており、こうしたモダンなイメージの大手チェーン店に比べ、地元店にとってけっして甘くない状況なのかもしれない。しかし、国際経済参入期のベトナムを象徴する、大手チェーン店とがっぷり四つに組んで、地元店にしっかりと生き残ってほしい。

第8話　コンビニエンスストア

　1年間のハノイ赴任を終えて、2014年3月末にホーチミン市に家族そろって移動した。

　ハノイ市での生活では筆者自身目にすることも利用することもなかったコンビニエンスストア（以下、コンビニ）の姿が、ホーチミン市では見られた。筆者の住居があるのと同じ通りにはサークルK、傍を通るヴォーヴァンタン通りとグエンディンチィェウ通りには、それぞれファミリーマートがあった。同店内に入ると、「ファミリーマッ。シンチャオ」と元気な店員のあいさつが迎えてくれる。ファミリーマートのベトナム本社がグエンディンチィェウ通りにあることを知ったのは、後のことだった。2016年12月、グエンディンチィェウ通りの同店舗を再訪してみると、通りを挟んで向かい側のかつてラーメン屋だった建物が、同系列のコンビニに生まれ変わっていた。

　両系列店だけではない。グエンディンチィェウ通りをカクマンタンターム通りの方向に進み、同通りを抜けてさらに進むと、左手側にミニストップもあった。

品揃え

　当時のこれらコンビニの品揃えはどうかというと、たとえばファミリーマートの食品関係では、ふっくら感を抑えたおにぎりやサンドイッチ、また日本、韓国、タイ、台湾やベトナムなどのスナック・お菓子類、各種飲料、インスタントラーメン。そして、バナナなどの生鮮食品、ウィンナー、ベーコンといった食肉加工製品、冷凍食品も売られていた。また、酸味と辛みが印象的なスープで煮込んだ「おでん」、チキンのから揚げなどの軽食やカップコーヒーも扱っていた。食品以外では、ボールペンなど若干の文具も置かれていた。

　店の入口付近などに設けられた飲食スペースでは、学校帰りの若者、子ども、近所の会社や店で働く人たちが、カップ麺を食べたり、コーヒーを飲んだりして休んでいる姿をよく見かけた。先述したミニストップでは、緑色をしたエビの卵を具材に用いたおにぎりなど、日本では見られない製品も販売されていた。

　また、サークルKは店内での食事サービス機能強化に力を入れていて、各種セットメニューの充実を図るなど、それぞれの特色が見られた。

　これらコンビニでは、商品価格は明示されており、購入時にはレシートを得

ホーチミン市内のコンビニ。2015年4月にサークルKがハノイに出店するなど、コンビニはハノイ市でも普通に見られるようになっている

ることができた。後述するが、スーパーマーケット（以下、スーパー）は別として、昔ながらの市場に慣れた世代のベトナム人にとっては、こうしたことも「新しい」ことのひとつである。

ベトナムとの関わり

先に挙げたコンビニ店とベトナムとの関わりを、各社のウェブサイトを手掛かりにして少しみてみよう（2017年6月閲覧）。

最も早くベトナムに進出した国際コンビニチェーン店はサークルK。2008年12月20日に第1号店を開店した。同社はホーチミン市、ビンズオン省、ヴンタウ市、ハノイ市に250軒近くの店舗を展開している。

ファミリーマートがベトナムで最初に店舗を開いたのは、2009年6月のこと。2013年7月には合弁相手を変更し、同年末までに店舗数は20を数えた。そして2013年7月には、ホーチミン市の中心に位置し、日本人も多く住むサイゴンスクエアガーデンに店を構えた。その後、2014年2月にビンズオン省にも店を出している。筆者が帰国した後も店舗数の拡大が進められており、2016年6月にはブンタウ市に出店して、ベトナム国内の店舗数が3桁に乗った。同社は、2017年末までに150、2018年末までに300店舗の展開を目指している。

　ミニストップは、2011年12月からベトナム進出を開始した。2015年3月までに17店を開店した。しかし、同年4月に提携先を変更し、その後10年間で800店舗を展開することを目標として掲げ、2017年2月末現在で73店を開設している。同店は、積極的にベトナム展開を進めるイオングループ系列のコンビニである。同グループは、2014年1月からホーチミン市でイオンモールの営業を開始している。

　ちなみに日本のコンビニ大手セブン–イレブンも、2017年6月にホーチミン市に第1号店を開店したことが報じられた。

市場、スーパーとの比較

　このようにコンビニの進出が目立つなかで、ベトナムでは、昔ながらの市場や、年代的にはその後に登場したビッグシー、コープマートのようなスーパーも営業を続けている。

　昔ながらの市場はコンビニに比べて敷地がかなり広い。その上、各店舗の配置が明示されているわけではない。市場空間には、生鮮食料品、乾物、飲食店、衣料品といった大まかなエリア区分が設けられているが、個々の店の集合体という感もある。地元の常連であればともかく、不慣れな者が市場空間に入ると、どの場所に何の店があり、何が売られているのか、どんな人たちが働いているのかを、観察しながら歩くことになる。商品の値段が明示されていないことがほとんどで、客は商品に対する目利きと価格交渉の能力、売り手とのコミュニケーションを楽しむ積極性を求められる。また、たとえ商品を購入してもレシートを受け取ることは稀である。そうした意味で、異邦人にとっては、多少手強くもあるが、昔から続く人びとの営みに触れることができる場となっている。

　スーパーは日本でもおなじみであるが、筆者がホーチミン市赴任時によく通ったコープマートでは、生春巻き、チェー、さばいた食用蛙などベトナムを感じさせる商品も多く並んでいた。品揃えが豊富で、探している商品がどこにあるかを見つけるのに苦労することもあった。しかし、ユニフォームを着た店員があちこちにいて、聞けば教えてくれるし、置かれている商品の種類を示す掲示がエリアごとにあって、初めての者でも自力で商品を探すことができる。また商品の値段はあらかじめ明示されていて、価格交渉を行なう余地はない。

時代の流れ

　ベトナムの都市部では、労働時間厳守、労働規律の遵守、商品の企画統一性

や安全性の確保を求める産業社会の要素、グローバリゼーションの影響など、農村部ではその度合いがまだ限定的な諸要素の社会への浸透が見られる。また、人びとは常にさまざまな刺激にさらされている。そうした環境下で暮らす人びとの心性やニーズ、嗜好に合った小売り需要の増大を予想して、大手コンビニは進出を決め、店舗拡充を推進してきたのだろう。

　赴任期間の終盤に筆者は次のような経験をした。2015年3月、義母の健康状態が急変し、日本に緊急帰国した時のこと。中央官庁が集まる霞が関近くの入院先にしばらく通った。その際、コンビニの食品によくお世話になった。頻繁に通った店で会計時に対応してくれたのは、ベトナム人女性店員であった。浦島太郎の筆者は、新たな時代が到来していることを、その時教えられた。

Ⅱ 「移動」

第9話 自転車

　最初の赴任時（1999年3月〜2001年3月）は、ハノイ市内で主に暮らした。通勤手段は、自転車だった。当時はまだ自動車の数はそれほど多くなかった。数的にはバイクが多く、それに次いで自転車、そこに自動車が混ざるというような感じだった。バイク運転手のヘルメット着用も、まだまばらだった。

52万ドンで購入
　自転車は、ターイハー通りの自転車店において52万ドン（当時のレートで約40ドル）で購入した、細身で緑色の統一自転車社製だった。そして、深緑色の軍人用ヘルメット、雨合羽、夜間走行用の懐中電灯が常備品として定着した。
　ベトナムでは、自転車も自動車、バイクに入り混じって車道を走る。道路上での運転の基本的ルールは、街の先輩たちから学んだ。肝心なことは慌てず騒がず周りに合わせて走行し、周囲の車両が予測可能な動きをすること。進行方向を変更する時は、腕と手で自分の進む方向を指して、周囲のバイク、自転車、自動車に伝えてから進路を変更する。四方八方に神経を巡らせながら、この基本ルールを守って目的地までたどり着く。
　天候も関係なかった。雨が降ろうが風が吹こうが、自転車で移動するのが当たり前だった。そうした時に役立ったのが、雨合羽である。ベトナムの雨合羽は優れており、大きさも十分で、前部のかご、背中のリュックもすっぽり覆うことができた。雨合羽着用時の視界の確保も大切な点のひとつだが、その点も問題はなかった。時に道路が冠水し、川と化すことがあったものの、靴下を脱ぎ、裸足にサンダルを履いて走れば、影響は少なかった。

かつて筆者が自転車を購入した店があった場所（ハノイ市）

しっかりした「サポート体制」

　走行中、自転車がパンクしたり、故障したりすることもあったが、心配は余りいらなかった。通りの脇には、適当な間隔で路上自転車修理業の人たちがいつもスタンバイしていたからだ。彼らは、いつも同じ場所にいて、たらいに水を汲み、道具箱をセッティングして客を待っていた。簡易な道具だけの人もいたが、本格的な職人になると、その道具箱の中は、ペンチ、金づち、はさみ、ヤスリ、ヤスリ台、ボルト、ネジ、タイヤのチューブ、スポークのスペア、パンク修理キット、ゴムの切れ端、ボロ布などでごった返していた。

　筆者自身、こうした路上自転車修理業の人たちに、空気の補給、パンク修理、スポークやタイヤの取り替え、ペダルの調整、無くした鍵の作成など、さまざまなケースでお世話になった。何の変哲もないゴム切れでも、彼らは巧みに加工して部品に変えてしまう。手際を見ているだけでも興味深く、あきなかった。車輪のスポークがどういう役割をし、なぜ重要なのかなど、これまで自転車で多く旅をしていながら、余り実感できなかった点に気付かされることも、少なくなかった。

　通勤では、毎日大体同じルートを通った。そのため、顔なじみの路上自転車修理業の人もできた。

　今も会えばすぐに分かる路上自転車修理屋さんは2人いる。通勤ルート上にあったターイハー通りとグエンチータイン通りに彼らはいた。ターイハー通りでは、路上茶屋、路上バインミー（ベトナム風フランスパンにさまざまな具材をはさんだもの）屋と近接した位置でスタンバイしていた。名前はヴィンさんといった。

まだ若いが職人肌で何でも対応してくれた。そして、自転車の修理に来た人たちが、待ち時間にお茶を飲んだり、バインミーを食べて行ったりと、周囲の店との連携が見事だった。他方、グエンチータイン通りでは、少し障害を持つ中年の男性が単独で客待ちをしていた。どんな時でも、彼は笑顔で挨拶をしてくれた。

二度目の赴任時

ハノイに二度目の赴任をした時（2013年3月～2014年3月）、彼らの姿は、かつてスタンバイしていた場所にはなかった。

彼らがかつていたターイハー通り、グエンチータイン通りでは、走行する自動車の数、中でも特にバイクの数が増加し、自転車で移動する人たちの数は、少なくなった。今では、中央分離帯など、通りの整備が進められ、通りの両脇は大きなビル、建物で固められるようになった。これに呼応するように、固定した店舗を構えない、路上の自転車修理屋、茶屋、バインミー屋さんなどを見つけることは、仕事の合間に筆者が歩いて探した範囲ではできなくなった。

そして、初めての赴任時に日常的な通勤手段であった自転車は、バイク・自動車の増量による交通事故のリスクや排気ガス、自転車修理屋さんのサポート状況の変化を考えた時、交通手段の選択肢からは、外れてしまった。ベトナムの人たちの日常生活における自転車の位置づけも、かなり変化しているのではなかろうか。

第10話　ハノイの市バス

学生たちが筆者に定期券を見せながらバスに乗車してくる。自身の服装を見ると、グレーのシャツに紺色のズボン姿。確かに車掌の服装に似ているが……。

2013年3月から2014年3月まで1年間滞在したハノイ市では、通勤に市バスをよく利用した。赤、黄、白を基調としたバスだ。いつのまにか、車体横には派手な広告が描かれるようになった。

筆者が利用していた路線のバス運賃は、当時5000ドンだった。価格的には小袋入りのスナック菓子ぐらいの値段である。ちなみに当時定期券（1ヵ月）には2種類あり、一路線で9万ドン、全路線使用で14万ドンであった（2014年5月1日

ハノイ市ラーンハ通りを走る市バス

から上記価格はそれぞれ7000ドン、10万ドン、20万ドンにそれぞれ値上げされた）。

　バスがバス停に到着すると、運転席近くの乗車口に群がる人たちに交じって車内に乗り込む。そして縦5センチ×横8センチ超の白もしくは桃色の薄紙（進行方向により色が異なる）に保険付きと書かれた乗車券を車掌から購入する。お金を渡すと、車掌は乗車券の上部を少し破ってから乗客に渡す。同じ乗車券が複数回使用されるのを防ぐためだ。素朴な工夫が感じられて、この手作業を見るのが好きだった。

9番バス

　通勤に使用したのは9番バスで、ハノイ市内の観光地として有名なホアンキエム湖もルートに含まれている路線であった。

　この路線は、ルートがやや複雑であった。たとえば帰宅時に使用すると、ベトナム社会科学院前（リュウザイ通り。ダエウホテル方面に直進し、交差点を右折して）→キムマ通り（トゥーレー公園を右手に見ながら、カウザイのバス停を経て左折して）→ラン通り（トーリック川を右手に見ながら走り、途中Uターン。少し進んだ後右折して）→チュアラン通り（同通りを抜けて右折して）→グエンチータイン通り→（再びラン通り方向に直進し、その直前でUターン。郵便局前を抜けて交差点で右折して）→フイントゥックハン通り（そのまま直進して）→ハノイ放送局前で下車、というルートであった。この間、いくつものバス停が小まめに設置されている。また、不規則な動きをするバイクの群れ、自動車、自転車、通行者の間を縫いながら進む。そのため、混み合うと、筆者のベルトを吊り革代わりにつかむ人もいた。

　時間帯によって異なるが、乗車時間は少なくとも40分は見ておく必要があっ

た。時間的には、職場から歩いて帰るのと 10 〜 15 分程しか変わらない。状況に応じて、タクシー、徒歩との併用になった所以である。

市バスにしかない魅力も

ただ、市バスには市バスにしかない魅力があった。筆者の利用していた路線の沿線には、グエンチャイ大学、貿易大学、外交学院、法律大学、国家行政学院といった教育機関が集まっていた。そのため、通勤客だけでなく、多くの学生が利用する。常連客だけでなく、トゥーレー公園（動物園）に行く家族連れもいた。

また、身体の不自由な人、妊婦、高齢者、幼児が乗車してくると、席を譲る学生の姿をよく見かけた。筆者にどうぞと声をかけてくれることもあった。

乗車中の過ごし方は、運転手や車掌にしきりに話しかける人、友人同士で話す人、携帯電話で通話する人、携帯電話の操作に夢中な人、コンピュータを開いて作業をする人、本を開いて勉強する人、読書する人、編み物をする人、居眠りする人……と人それぞれである。

車掌さんにもいろいろなタイプがあった。スポーツ刈りで強面。不愛想に客の立ち位置まで仕切る人もいれば、対照的に気弱な書生風でこちらが少し心配になるような人もいる。仕事道具で膨らんだリュックをいつも背負っていた筆者は、乗車を重ねるうちに車掌ごとの癖を覚え、この車掌のときには立ち位置はここなどと、対応するようになった。

車掌の役割は多い。乗車券の確保・販売、定期券のチェック、車内の秩序維持（かなり大きな声を出して指示を出したりしていた）、下車駅や下車後の乗車路線などに関する乗客からの質問への応答。運転手に頼まれて、ルート途中にある路上茶屋でお茶やチューインガムを買う。また、ときに吐く乗客もいるので、その処理（筆者が見た2回とも、赤レンガ色に変色した使用済みの調理用燃料炭を路上で拾い、足で砕いて、嘔吐物と混ぜ合わせて水分を吸収させるというやり方だった）も彼らの仕事であった。

乗客乗降時のバスの動き出しをもう少しゆっくりとしてくれないだろうか。どのバス停にも、時刻表があったほうがありがたい……。筆者の気持ちはまだ一乗客のままである。

第 11 話　タクシー

　ベトナムの都市部ではさまざまな色合いのタクシーが街に彩りを添えている。タクシー会社の数もかなり増え、日々の暮らしのなかでタクシーを利用することも多い。料金的には市バスよりも高く、運転手によって応対、移動中の雰囲気は異なるが、自身が選択した場所から目的地に直接向かえ、体力が温存でき、比較的安全性が高いという利点がある。

　また、長期間現地で暮らしていると、安全なタクシーを拾える場所を覚え、タクシー会社ごとの傾向もつかめるようになる。たとえば、少し料金は高めだが、走りと接客が安定している会社、積極的にスペースに突っ込んでいく強気の走りをする会社、車内の清潔さが保たれている会社、少しぼられるリスクを覚悟しなくてはいけない会社など、会社名と車体を見るだけで乗車後の状況が大体想像つくようになった。

　2013 年 3 月から 1 年間を過ごした北部のハノイ市、続く 1 年間を過ごしたホーチミン市では、タクシー事情に肌で感じる違いがあった。

ハノイ市

　ハノイ市に滞在中は、通勤で市バスを利用する機会が多かったが、用途、状況に応じてタクシーを用いた。乗車したタクシー会社は、タクシーグループ、マイリン、エービーシー、ザウヒー、タインガー、モーニング、タインコン、バーサオ、ソンホン、フンヴォン、ヴイアイシー、サオハノイ、ミーディン、フードン……と尽きない。

　筆者の滞在時にハノイ市のタクシーで中心的な存在だったのは、タクシーグループ（TAXI　GROUP）とマイリン（Mailinh）であった。白基調で車体を貫く赤のライン、ブルーのロゴが印象的なタクシーグループは、ベトナム北部、とくにハノイを中心に活動し、リー朝によるホアルーからハノイ（当時はタンロンと呼称）への遷都から千年となる 2010 年に、1993 年創業のハノイタクシーを含む 6 社が参加して形成された。この会社は全車両がトヨタの車であることをウェブサイトで謳っていた。他方、鮮やかな緑色を使用した車体で有名なマイリンは、1993 年にホーチミン市で産声を上げた。マイリンのウェブサイトによれば、当

ハノイ市内を走るタクシー

初20台であった車両数は、2013年5月段階で1万台を超え、全国63省・中央直轄市（地図1参照）のうち、54省・中央直轄市に経営を拡大している。

　ハノイを走るタクシーの特徴は、小型車が多いことだった。道幅が狭いことも要因のひとつなのだろう。小型であれば初乗り料金も安く、小回りがきく。また、ハノイでは運転手がよく話してくれる。互いの家族、仕事、日本の事など、話が広がっていくことがよくあった。

　いまではありえないが、ハノイでタクシーというと思い出す出来事がある。2002年6月29日に成田—ハノイ間の直行便が就航する前のこと。香港経由でベトナム入りすると、ハノイ到着は夜。入国審査も今よりゆっくりだった。その日は、ターンテーブルで荷物をピックアップするのに通常より時間がかかり、空港の外に出ると、タクシーは出払っていた。周囲のベトナム人が、筆者を一定方向に進めようとしているように感じたが、当時は流れに逆らう知恵も余裕もなく、白タクと知らないまま白色の乗用車に乗りこんだ。空港を出て、薄暗いガソリンスタンドで給油をした後、車は市中心に向けて走りだした。しばらくすると、闇のなかで突然ボンネットが開いた。運転手が車を止めて閉めに行き、再びスタートしたが、少し進むとまたボンネットが開く。「これは何かの技なのだろうか？」　と筆者は内心穏やかでなかった。その後この運転手が選んだのは、それまで経験したことのなかったルートだったので不安が募った。市中心にある宿泊先に無事にたどり着いたときには、安堵した。請求料金は17ドルと、予想したよりも低額であった。あの日、あの車で運転手は家に帰れたのだろうか。

ホーチミン市

　南部のホーチミン市では、タクシーの主流は7～8人乗りの大型車と中型車であった。先に紹介したマイリンとヴィナスン（Vinasun）が中心で、とくに後者が優勢であった。車両数27台で2003年にホーチミン市に登場したヴィナスン（ヴィナスンのウェブサイトによる。以下同様）は、ビンズオン省、ドンナイ省、バリア＝ヴンタウ省、ダナン市、カインホア省と主に南部を中心に活動域を広げ、2015年6月段階で車両数は5800台を超えた。白を基調とし、深緑と赤色を車両下部に配した車体デザインは、落ち着いた印象を与える。

　そのほかにサイゴンツーリスト社のタクシーなどがあったが、ハノイのタクシーの百花繚乱ぶりと比べると、会社数は少なかった。運転手の対応にも違いがあり、ハノイ市の運転手程にホーチミン市の運転手は話さない傾向があった。

　2014年7月のこと。ホーチミン市で空港からの夜の移動の際に少し新たな経験をした。夏休みのために深夜便で妻子が一時帰国するのを空港で見送った後の帰り道。タクシー待ちの旅行客が多く、翌日の仕事のことが気にかかり、待つのを避けて見知らぬタクシーを利用した。乗車すると、暑さの続くホーチミン市でクーラーをつけていない。ムッとした熱気が体を覆った。車が動き出して運転手に話しかけても返事がない。携帯電話をいじりだし、何やらメールでやりとりをはじめ、片手運転を続けた。日頃我慢をすることが多い筆者だが、このときは車を止めるように運転手に繰り返し伝えて下車した。ベトナムは比較的安全で、治安はいい方だと思う。しかし、日本での暮らしと同様に油断をすると、さまざまなことがある。

　タクシー配車・予約サービスのグラブ（Grab）やウーバー（Uber）が、2014年にベトナムに進出した背景には、このような一部タクシーのサービス状況に対する認識が、背景にあったのかもしれない。

　2018年3月、シンガポールを本拠地として東南アジア各国で類似のサービスを展開するグラブが、ウーバーの東南アジア事業を買収したと伝えられた。

　タクシー業界も、絶え間ない変化の波にさらされている。

第12話　鉄道の記憶

　ハノイ市都市鉄道、ホーチミン市都市鉄道の建設が、本稿執筆現在（2018年）

進められている。ベトナムでもいずれ多くの人たちが通勤、通学などで鉄道を用いる日が来るのだろう。

ベトナムの各地方を結ぶベトナム鉄道総公司のウェブサイトによれば、ベトナムの鉄道はフランスによる植民地支配下で建設が進められた。1881年に起工し、1885年に竣工したベトナム最初の鉄道は、サイゴン（現在のホーチミン市）からメコンデルタに位置するミートーまでの約71キロを結んだ。当時は蒸気機関車が使用されていた。フランスにより南と北を結ぶ鉄道網が整備されるのは、1936年のことになる。

二度目の赴任時

2回目のベトナム赴任中（2013年3月～2015年3月）には、二度鉄道を利用する機会があった。

一度目はハノイ赴任中。妻子とふだん乗る機会のない鉄道を利用した小旅行を、と考えてハノイ―ハイフォン間（往復）で用いた。ハイフォン市はハノイ市から108キロほど離れた港湾都市で、紅河デルタ地域ではハノイ市に次ぐ主要都市である。さまざまな農産物が集まるロンビエン市場近くにあるロンビエン駅から乗車。ディーゼル機関車が客室車両を牽引する。乗車したクッションがついたソフトシート車両の乗客は、ほぼすべてがベトナムの人たちであった。

二度目はホーチミン市赴任中で、中部沿海南方地域に位置するビントゥアン省ファンティエット市から。ファンティエット市内で漁民が多く暮らす地域での福祉関係調査を終えてホーチミン市に戻る際に乗車した。ファンティエット市は景勝地としても有名であり、ディーゼル車両が牽引する客室車両には外国人観光客がかなり多く含まれていた。ファンティエット―ホーチミン間は188キロほどで、車窓から見えるタンロン（ドラゴンフルーツ）畑や、荒れた丘陵地帯が印象的だった。

忘れられない経験

このように、筆者の鉄道利用経験は限られるが、忘れることができない経験がひとつある。

2010年9月26日～10月5日に中部北方地域のクアンチ省カムロ県下の一行政村で、ベトナム戦争中にアメリカ軍、南ベトナム政府軍により散布された枯葉剤による被害者の生活調査を行なった。期間中は雨の日が多く、雨合羽を着用しての家庭訪問調査が続いた。

ファンティエット市からホーチミン市に戻る列車の車内

　ハノイ市からクアンチ省までは約600キロ。往路は自動車で移動した。朝6時ごろハノイ市を出て、昼の休憩をはさんでクアンチ省の省都ドンハーに到着したのは午後6～7時ごろだった。

　調査を終え、ハノイ市に向かう復路では夕刻発の鉄道を用いることになった。晴天の朝、調査地近くの宿を出て、省都ドンハーへ移動する。大きな荷物を抱えて身動きがとれず、同行のダイさんと相談して、半日ステイというかたちで通りがかりのホテルに入った。

　定刻が迫り、駅に向かう。かなり待ったが無事に列車は到着した。改札を抜けてハシゴを登るような段差を上がって車内へ。4人部屋で車窓に向かって左下の自身の寝台に辿り着き、身を落ち着けた。

　やがてゆっくりと列車は動き出した。途中、降雨はなかった。しかし、暗がりのなかで車窓から見えたのは、湖と化した田んぼの風景であった。細く小さい手漕ぎの船に乗り、移動する人が見える。水の中に寂しげに立つ細い電柱がかろうじて陸地との絆をつないでいた。

　やがて日が暮れた。列車のリズムにも慣れ、このまま順調に進むかと思っていると、列車が止まった。続いて「降りろ」と指示された。線路が水没し、この先列車が進めないということらしかった。おとなしく列車を降り、大きな荷物を抱えて線路を跨ぎながら駅の外に出ると、いずれも年季の入ったバスがひしめきあっていた。バスの間にできた小道を人の波にもまれながら最寄りのバスに乗り込むと、やがて座席が埋まり、バスが動き出した。発車の振動で転がりかけた荷物をグッと手で押さえる。

　前を見ると、少し異変が起きていた。車両中ほどにある乗降ドアが閉まらな

い。走行中もドア近くの座席の人が何度も体を伸ばして閉めようと試みたが、壊れたアコーディオンのようにドアは開いたり閉じたりを繰り返した。

だが、バスの運転手はプロフェッショナルだった。乗客から自身に届く要望にしたがって確実に停車し、淀みなく乗客を目的地に届け続けた。やがてバスは線路水没区間を抜けて、列車が走行可能な区間に到着した。

バスのライトが闇を照らすなか、駅の改札を抜け、あてもなくふたたび列車に乗り込んだ。ドンハー駅で購入したハノイまでの寝台券はもう意味を持たなかった。指定された場所か否かに関係なく、ただ空いている場所を探す。出発時は4人部屋にダイさんと2人だったが、こんどは両サイドに細長い金網状の三段ベッドが取り付けられた6人部屋の窮屈な空間で過ごすことになった。太り気味の自身のことを考えて、小部屋に向かって左側1番下の寝台を確保し、荷物を脇に置いて体を横たえた。かなりの時間が経過した後、列車はハノイに向けてゆっくりと進みはじめた。先のこともあり、ぐっすりと眠ることはできなかった。ウトウトと浅い眠りを繰り返していると、やがて夜が白んできた。雨でも晴れでもなく曇りだ。徐々に住居の密度が濃くなってきた。早起きの人たちが活動を開始している。ハノイ到着が近いことが分かった。

第13話　徒歩

二度目のベトナム赴任中（2013年3月〜2015年3月）、ハノイ市でもホーチミン市でも、徒歩は筆者にとって重要な通勤手段のひとつだった。とくに、時間に追われずにすむ帰り道においては。

注意したこと
当時、ベトナムの街を歩くときにはこんなことに注意していた。まず、急がないこと。急いでもそれほど変わらないし、それでは歩く意味がない。

ふたつ目に、バイクや自動車が予測可能なように動くこと。多くのベトナムの人たちは、運転にも慣れて巧みな操作技術を持つ。もし歩行者が予測可能な動きをしていれば、勝手に避けてくれる可能性が高い。

3つ目に、なるべく全方位を確認すること。たとえば足元については、ベトナムの歩道は時に大きな穴が口を開けていて、凹凸のヴァリエーションも豊富で

ホーチミン市内の歩道の一風景

ある。とくに車道と交差するポイントは段差の大きい箇所が多く、注意を要する。

　ある日、勤務先があったハノイ市のリュウザイ通りが大雨で冠水した。少し早めに帰路についた筆者は、傘をさして足下を濡らしながら幅広の同通りを渡り、バス停まで辿り着いた。しばらく待ってやっと市バスが到着すると筆者の前にいた女性は、バスに乗ろうと一歩踏み出した。するとその姿が突然消えた。眼前を流れる赤茶色の濁った水に隠された歩道と車道の段差に足を踏み入れた女性は、バランスを失って横倒しになってしまったのだ。このときは幸い怪我もなく、女性はただ雨で濡れたかのようにすましてバスに乗り込んだ。

　次に、後方と左右については、なるべく気配を察するよう心がけた。ベトナムではバイクがどこから突っ込んでくるか分からない。ボーッとしていると気流を感じるほど近くを通り過ぎていくこともある。また、バイクは車道が渋滞と見るや、どんどん歩道に乗り上げてくる。歩道であることや、歩道を歩いている人にはまったく関心がないかのようである。

　頭上にも注意が必要だ。ベトナムでは工事中の建物も多く、ベランダの塀の上に植木鉢を置いたりする人もいる。また、黒い電線の束がだらりと垂れ下がっていることもある。だから、多少恰好悪くてもヘルメットを被って歩くことも無意味ではないと筆者は真剣に考えていた。そうすれば、セーオム（バイクタクシー）に乗るときにも、自身のヘルメットを利用できる。

　4つ目に、無理はしないこと。歩いていて疲れたら最寄りの路上茶屋、カフェで休むか、バスを待つか、タクシー、セーオムを拾うかなど、手元にある選択肢から柔軟に対応策を選ぶようにした。

　最後に、水分の補給を心がけること。北部のハノイ市には四季があり、南部

のホーチミン市には乾季（11月〜4月）と雨季（5月〜10月）がある。しかし、筆者の体質によるのかもしれないが、どの場所、どの季節においても外出して汗をかかない日はなかった。汗が入って赤くなった目元から目ヤニが噴出して、ということも多々あった。

多くの楽しみ

これまでベトナムの街を歩くときに注意してきた点について記してきた。だが、楽しみがあるからこそ歩くこともできる。

ベトナムの街は、「あれはなんだろう？」と立ち止まってみたくなるような興味深いことで溢れている。

たとえばハノイ市では、人びとが散歩やエアロビクス、筋トレをしたり、ベンチに座って友人やその場で出会った人たちとの会話を楽しむことができる湖畔や公園が帰宅コース近くにあった。普段なかなか見ることができない、思い思いに体を動かし、自由に時を過ごすベトナムの人たちの様子を見るのは、興味深く、楽しかった。また、新鮮な野菜、果実、肉、魚で溢れた路上市は、何度訪ねても興味深い空間であった。

ホーチミン市では、演劇場の宣伝看板や、観光会社などの趣向を凝らしたクリスマスやテト（旧正月）のデコレーションを見ることも帰宅途中の楽しみのひとつだった。

そのほかにも、色鮮やかなフルーツパフェを提供してくれる路上カフェ、とろみのある蟹スープ一品に賭けた路上店、大学生に人気の自転車バインミー（ベトナム風フランスパンにさまざまな具材をはさんだもの）屋さんなど、魅力的なスポットが多くあった。

このようなベトナムの街は、いずれも緑豊かで、雨の日には雨の日の、風の日には風の日の風情があった。

昨今、歩道でお茶屋を営んだり、商品を並べたりする行為を取り締まったり、個人宅から歩道に突き出して設けられたスロープを取り壊したりと、歩行者が歩きやすい環境をつくりだそうという動きが当局によって進められている。一外国人移動者としては、歩道で生業を営む人たちの姿がもし見られなくなったら、寂しい。

Ⅲ　「地方」

第 14 話　暮らしと時代の潮流

　工業化・近代化を推し進め、工業国になることを目指すベトナムは、変化の
ただ中にある。この方向性は世界の趨勢に沿ったものである。この文脈におい
て、ベトナムは今後ますます発展していくと思われる。

　ベトナムは多民族国家であり、54 民族が暮らすとされる。2009 年の人口・住
居総合調査の結果にもとづけば、人口 8584 万 7000 人のうち約 85.7% 超をキン族
が占め、残る約 14.3% を少数民族の人たちが占める。日本の面積の 3 分の 2 ほ
どの国土に多様な文化、暮らしが広がっている。

調査地での観察から
　2013 年 10 月末から 11 月上旬にベトナムの北部東方地域に位置するランソン
省、続く 12 月上旬から中旬にかけて北部西方地域に位置するホアビン省を、社
会福祉関係の調査で訪ねた。ともに 8 日間の日程だった。とくに少数民族の人
たちの調査をしようという意図はなかった。しかし、結果的にこれらの地域で
は多くの少数民族の方に会った。ムオン族、ヌン族、タイ族、ターイ族の人た
ちである。

　総じてみると、これらの人びとの住居様式、言語使用状況、民族衣装の着用
状況には、以下のようないくつかの類型が見られた。

　住居様式については、以下のようなタイプが見られた。第 1 に当該民族の伝
統的住居様式、第 2 に当該民族の伝統的住居様式にアレンジを加えたもの、第 3
に当該民族の伝統的住居様式と、セメントで煉瓦を積み重ねて作る、他の地方
でもよく見られる住居様式の併設、第 4 に当該民族の伝統的住居様式を放棄し、
先述したセメントを使用して煉瓦を積み重ねる住居様式を選択、以上である。

　このうち、第 2 のタイプ、第 3 のタイプについては若干説明が必要だと思わ
れる。第 2 のタイプは、伝統的住居の様式が保たれているが、建築資材に木材

ホアビン省で見られたコンクリート製の高床式住居

ではなく、別の素材を用いるなど、アレンジを加えたものである。具体的には、木材に替えてコンクリートを使用する、屋根をスレート屋根にするなど、である。第3のタイプについては、伝統的住居の隣に、キン族の居住地でよく見られる、セメントを使用して煉瓦を積み重ねる様式の住居を併設し、双方を通路でつなぐなどしたタイプである。

　なかでも最も印象に残ったのは、ムオン族の高床式住居であった。2007 年に中部北方地域に位置するタインホア省で調査を行なった際にもムオン族の高床式住居を体験していた。同調査地ではかつて野生の虎が生息していたとのことであり、周囲からやや孤立した一軒家の趣があった。しかし今回は、ある程度の戸数がまとまって存在しており、異空間を感じさせた。

　ムオン族の人たちが高床式住居に暮らす理由としては、以下の理由が考えられるという。ひとつ目には蛇など人間の生活にとっての害獣が家に入ってこないようにするため、ふたつ目には涼しいこと、3つ目には周囲の見通しがきくこと、である。

　訪問した地域に残存する最も古い高床式住居を訪ねた。落ち着いた、深い包容力の感じられる重厚な木造住居であった。

　しかし、変化の波がこの土地にも訪れていることは、直ぐに分かった。木製ではなく、コンクリート製の高床式住居がいくつか混ざっていたからである。住居を支える土台の柱が細く、木製の方が安心して住めるのではないかと筆者には感じられた。調査対象の一人の住居がコンクリート造りで、住居内に入る機会があった。木製の高床式住居の場合には室内を歩くと床が少し沈み、筆者の体重を支えてくれているという生の感覚がある。また、床下を支える木材の

隙間から地面が透けて見え、周囲の環境との一体感が感じられる。これに対して、コンクリート製の高床式住居は、素材が生み出す硬質な空間を作り出していた。

　つぎに、生活上の言語使用状況については、インタビュー時の反応から、いくつかのタイプが見られた。第1に 自身の民族言語だけを話し、ベトナム語を理解しない人、第2に自身の民族言語もベトナム語も理解する人、第3にベトナム語を主として用い、自身の民族言語をベトナム語のようには理解できない人、である。第1のタイプは自身が暮らす家庭、地域から出ることの少ない古い世代に多かった。第2のタイプは、生活の必要上、自身が暮らす地域と外との往来のある人びとに多かった。そして第3のタイプは、子どもたちに見られた。

　最後に、民族衣装の着用状況については、訪問時に民族衣装を着用していた人と着用していなかった人があった。そして後者は、写真撮影をお願いすると、民族衣装に着替えた人、写真撮影をお願いした際も、衣服を着替えなかった人に分けられた。民族衣装を着用していた人はごく少数であった。

生きるための選択

　第13期第6回国会で制定されたベトナムの2013年憲法は、自身の民族を確定し、母語を使用し、コミュニケーションに用いる言語を選択する権利をベトナム公民に保証している（42条）。また、民族委員会という省庁級の専門機関が存在し、関連する各機関と協力しつつ、少数民族のために、土地・生活水などの生活インフラの整備、医療保険の支給といった生活向上、改善のための支援策を実施している。

　いつの時代、どの土地における生活でも、その時代の潮流が人びとの生活の底を流れている。そして、少数民族の人たちはそれぞれの人格と生活的、経済的、文化的、教育的な条件を持つ。自身を取り巻く環境、自身が生きる時代の潮流をどのように捉え、判断し、それにどう対応、適応していくかによって、少数民族の人たちの生活の形、人生は大きく変わってくる。断固として自身が属する民族の伝統を守ろうとするのか、逆に伝統を捨て去って取り巻く状況、環境への適応を図るのか。この両極端の線上のどこかに、少数民族の人びとの現在の選択肢が存在している。

　考えてみれば、このことは、けっして少数民族の人たちにのみ該当することではない。工業化、近代化、国際経済への参入を推進するベトナムの人たちは、自身が持つさまざまな条件にもとづき、取り巻く潮流下、変わりゆく生活環境

下において、自らの生活の形を日々模索しているのではなかろうか。

第15話　風景

　手元に2冊の地図帳がある。ベトナム地図出版社発行のもので、ベトナムの地方各省・中央直轄市（日本では県に相当する行政レベル）の地図を収めている。1冊は2008年3月発行、もう1冊は2009年3月発行。発行年は異なるが、同種の地図帳だ。

　ただ違いが少しある。2008年3月発行のものは64省・中央直轄市を対象としているのに対し、2009年3月発行のものは63省・中央直轄市を対象としている（地図1参照）。それはなぜか——2008年5月上旬から6月上旬にかけて開かれた第12期第3国会で可決された、ハノイ市と関連諸省の行政区域調整に関する決議が2008年8月1日に発効したからである。同決議発効により、ハノイ市と隣接していたハータイ省は、フートォ省に組み入れられる一部を除いてハノイ市と合併されることになった。そのため、64から63にベトナムの省・中央直轄市の数が減ることになったのである。その際、ヴィンフック省、ホアビン省の一部もハノイ市の版図に組み入れられた。

　これにより、2008年3月版のハノイ市は面積921平方キロメートル、人口308万7800人であるのに対し、2009年3月版のハノイ市は、面積3344.7平方キロメートル、人口623万2900人となった。そして、ハノイ市の形状は、少しいびつな瓢箪型から、少しスリムなハート型に変わった。以下、変わりゆくベトナムの風景について少し紹介したい。

ハノイ市内の農村

　1999年から2001年までの初めてのベトナム滞在時には、まだアメリカとの通商協定締結前後（2000年7月に越米通商協定は締結され、2001年12月に発効した）という時代状況もあって、調査に出る機会がなかなか得られず、毎日ただひたすら現地所属先のベトナム機関に通った。そこでせめて観察だけでもと、ベトナム統一自転車社製の深緑色の細身の自転車（「第9話　自転車」参照）にまたがって、市街地と市郊外の間をよく往復した。現在のグエンチータイン通り、チャンズイフン通り、そしてタンロン大路につながるラインである。フィントゥックハ

紆余曲折をへて建設されたズンクアット石油精製所
（クアンガイ省）

ン通りとグエンチータイン通りが交差するポイントからラン通りまでのセクションは、当初「通り」が作られていなかった。そのため、道づくりの段階から観察することができた。当時は、そのセクションを抜けてトーリック川に架かる橋を渡り、少し走るともう農村であった。自身の肉体と水牛を用いて農作業に励む人たち、水牛・牛の世話をする子どもたちの姿がすぐに目に飛び込んでくる。街中で売るために自転車の両サイドに取り付けた籠を野菜・果実でいっぱいにして運ぶ人たち、村で売る日用品を街中で買い集めて自転車で戻る人たちが、道路に広がって交差する。まだ自動車の交通量も少なく、そうしたことが可能であった。現在さまざまなイベントで利用されている国家会議センターも、当時は建設予定の看板が道路沿いに立てられているだけだった。しかし、2004 年 11 月 15 日に建設工事は着工され、2006 年 9 月には竣工した。

ズンクアット石油精製所

　中部では、ベトナム初の石油精製施設であるクアンガイ省のズンクアット石油精製所建設プロジェクトが進められた。同施設は、ベトナムが自力で建設することが 1997 年 11 月〜 12 月の第 10 期 2 回国会で承認された。1998 年にロシア企業の参加が決まり、越口合弁企業により海岸沿いに関連施設が建設されたが、2002 年にふたたびベトナムの単独投資によるプロジェクト遂行が決まった。しかし、2004 年 11 月下旬に訪れてみると、何もない広大な敷地に犬を連れた少年が一人佇み、敷地にできた大きな水溜まりを水鳥たちが行き来し、付近の海岸では地元の人たちが釣り糸を垂れていた。
　しかし、2005 年 5 月〜 6 月に開かれた第 11 期第 7 回国会で、ズンクアット第

筆者が通ったフォーの店が入居していたビルを壊して建てられた商業ビルが、再び取り壊された（ホーチミン市グエンフエ通り）

一石油精製所建設の集中指導に関する決議が可決されて、状況が変わる。同決議は 2008 年完成、2009 年操業開始を政府に求めており、2005 年 11 月末には建設工事が開始された。2009 年 12 月上旬に同地を再訪してみると、巨大な石油精製施設の姿がそこにはあった。作業着を身に着けて行き来する労働者たち——その風景をフェンス越しにただ眺めるしかなかった。

ホーチミン市中心部

　南部のホーチミン市のグエンフエ通りとレーロイ通りの交差点角に立つ商業ビル 1 階に、行きつけの庶民的なフォーの店があった。その店が入居したビルごと姿を消して久しい。そして、同商業ビルの後に建設された新商業ビルもまた取り壊された。

　2014 年 7 月にグエンフエ通りとレーロイ通り交差点周辺では、ホーチミン市メトロ 1 号線（都市鉄道）の建設工事が開始された。ベンタイン—スォイティエン間約 19.7 キロメートルを結ぶ路線である。以前グエンフエ通りは幅広の道路が並ぶ豪壮なつくりであった。2015 年 3 月に赴任期間を終えて同市を離れる際には工事中だったが、2016 年 4 月に訪れると、通り中央には大きな広場が誕生していた。そして通り沿いには、マクドナルドができていた。

　至るところで変わりゆくベトナムの風景。まさに諸行無常の感がある。

第16話　地方でのおもてなし

　地方へ調査に出ると、ときに地元の民家で食事をごちそうになることがある。いろいろなケースがあるが、自宅でひとしきりお話を聞いた後、予期せず食事に誘ってくれるケース、あるいは、少し奥地に入っての調査で、周囲に食堂がなく、地元の方に料理の準備をお願いするケース（この場合、もちろん謝礼を支払う）、が主である。2014年1月の中部北方地域に位置するある省での調査の際には、両方のケースを経験した。自宅の庭で食用の鶏、敷地内の小さな池で食用の魚を育てている家庭がかなりあったが、いずれの機会も、だいたい以下のような流れでときが過ぎた。

お茶をいただく
　食事の準備ができるまで、お茶をいただく。濃い目のお茶、香ばしいお茶、口当たりの優しいお茶——お茶には家ごとの好みが反映されている。急須は白色を基調としたものが大半で、縦長の円柱形のもの、くびれの滑らかなスタイリッシュなものなど、種類はさまざまである。急須の蓋と本体が細いひもで結ばれていることが多い。急須とセットになっているいくつかの小さな湯飲みのひとつにご主人がお茶を注ぎ、どうぞと渡してくれる。「結婚はしているのか？」「子どもは何人いるのか？」「日本ではどこに住んでいるのか？」といった筆者に関わる話など、インタビュー時の聞き手と応答者が立場を変えたりしながら、ときを過ごす。少しでも湯飲みの中のお茶が減ると、すぐに主人が注ぎ足してくれる。
　しばらくすると、夫人が、卵炒め、茹でた鶏肉やキャベツ、カインと呼ばれるスープ、カームオイと呼ばれる小茄子の漬物やニョックマム（魚醤）など、さまざまな料理、調味料を運んで来てくれる。
　イスに座り、机の上に料理を並べて食事をする家もあれば、床にござを敷き、料理を載せた大振りのお盆を真ん中に置き、その周囲に車座にあぐらをかいて座る家もある。
　「ご自由に食べて下さいね」との主人の言葉で食事が始まる。少し遠慮してい

インタビューをした女性の母が100歳を迎えたことを
祝うパーティー（クアンチ省）

ると、鶏肉料理や魚料理などの主菜を筆者の手元の茶碗に主人、ときには自身
は食べずに場を見守っていた夫人が箸で取ってくれる。小皿に載った塩と胡椒
にライムを絞った調味料へ少し浸けて、骨付きの鶏肉をほおばる。夫妻は様子
を見ていて、ひとつ食べ終わると、間をおかずに次と、筆者の茶碗は絶え間な
く料理で賑わう。

　また、お酒を出してくれることも多い。主人が取り出した酒瓶に筆者が少し
戸惑っている内に、手元にある小さなガラスコップに注ぎ、どうぞと勧められ
る。総じて喉が焼けるように強い蒸留酒である。秘蔵のタッケイ（とかげ）を漬
けたものなどが登場するときもある。完全にお断りすると、場の雰囲気を壊し
てしまいかねない。筆者はさほどアルコールに強くないため、雰囲気を保つよ
うに気をつけながら、後の仕事に影響が出ないよう少量にとどめる。

　食事が中盤から終盤に差し掛かると、締めのご飯の時間になる。炊飯器の傍
に座っている人がご飯をよそってくれ、大きめのお椀に入った青菜入りのスー
プをご飯にかけ、歯ごたえのある小茄子の漬物などを友にしてお茶漬けのよう
にさらさらと掻き込む。

　バナナなど果実を食べ、一通り食事が済むと、主人から爪楊枝を渡され、左
手で口を覆いつつ、歯間に挟まった食べ物を取る。そして、再びお茶をいただく。

　各家によって異なる点は多々あるが、多くの場合、上述のような流れでとき
は過ぎた。

調理の現場

　他方、料理の準備の間、筆者の相手をしてくれている主人に失礼がないよう

にと考えると、調理の過程を見る機会はどうしても限られる。

　しかし、「ちょっとトイレに」と場所をたずねて、ゴム製サンダルを借りて母屋の外に出ると、家で育てた鶏を絞めて血を抜く作業中であったりする。この後お湯につけて羽根を取り除き、解体して、筆者でも想像できる調理の過程に入るのだ。ガスコンロではなく、細かくしたいくつもの木片を用いた火力で調理する家もまだ多かった。ベトナムの農村では当たり前の風景のひとつである。

　しかし筆者は、白い発泡トレイに鶏ササミ肉何百グラム、価格はいくらと表示された鶏肉に接する国から来た異邦人である。そのような場面に立ち会わずとも、食材となった生物やもてなしてくれた家族に対する感謝の気持ちに変わりはないが、立ち会う度に普段と少し異なる心持ちになった。

　こうした風景が日々の生活からなくならない限り、多くのベトナムの人たちは、自らの日々の命の由来を見失わないのではなかろうか。

第17話　ファンティエットにて

　2014年11月中ごろ、ベトナムの中部沿海南方地域に位置するビントゥアン省の省都ファンティエット市を訪れた。社会福祉関係の調査を実施するためである。出発前、調査実施に向けた手続きが思うように進まず、出発予定前日の午後に入ってようやく実施が決まった。結局、出発準備や関係各所への連絡等のため、徹夜で初日を迎えた。

出発
　朝5時45分ごろ、ホーチミン市を自動車で出発し、途中道路脇にある店で朝食にフォーを注文したが、量が多くて食べきれなかった。再び出発し、土地が乾いた感じがしてきたところで少しウトウトする。目が覚めて車窓から外を眺めると、初めて見るドラゴンフルーツの畑が視界に入った。ファンティエット市に到着したのは、午前10時45分ごろであった。

　その足でビントゥアン省人民委員会の対外関係部署を訪れる。しかし、通常であれば直接会って挨拶をするはずの担当者に面会できなかった。その日、外国人が亡くなる事件があり、対応に追われているという。

　昼食をはさみ、午後には調査地を紹介してもらうため、今度は社会福祉担当

海を間近に控えたカーティ川（ビントゥアン省ファン
ティエット市）

の機関を訪問した。ここでは担当者に会うことができた。しかし、要請を出し
ていた農村部ではなく、都市部を調査地にするようにとのことで、さらに翌日
も手続きのために調査を開始できないという。また、具体的な調査地について
も、この段階では明示されなかった。これまで調査地の人民委員会担当者に紹
介してもらうのが常だった宿所についても、当日借り上げた車の運転手の妻が
ホーチミン市内の観光会社で働いており、割引対応できるとの言葉に甘える形
になった。

　出鼻をくじかれたが、翌朝7時30分ごろ、少しでも時間を有効活用しようと
地図を片手に外に出た。タクシーで北上してチャンパ王国のポーサヌー遺跡へ
向かう。チャンパ王国はベトナムの中部に2世紀末から千年を超えて続いた王
国である。静かな街並みを抜けて15分くらいで到着。1万ドン（訪問時1ドル約2
万1000ドン。小袋の菓子ふたつ分相当）のチケットを買い、同区域に入っていくと、
赤茶色の煉瓦を少しずつずらして積み上げた、チャンパの祠堂が見えてきた。
チケット購入時に渡された資料によると、これらの祠堂はヒンドゥー教に由来
するシヴァ神を祀るために8世紀末から9世紀初めに建てられた。チャンパの
遺構様式としては早期のものという。丘陵上にある遺跡の背後には、かつてチャ
ンパの人たちも眺めた南シナ海が広がっていた。

　ポーサヌー遺跡から少し奥に進むと、フランス植民地支配にゆかりの遺構が
残っていた。中央部に傷のある青地に白字の看板に書かれた説明によれば、フ
ランスの公爵が1910 〜 1911 年に建設を開始した美しい別荘がこの周辺にあり、
第2次世界大戦後、ベトナム復帰を図ったフランスが1946 年にこの別荘の傍に
駐屯所を構築した。しかし、1947 年6月14日、フランス兵に偽装した抗仏のホ

アン・ホア・タームの一団に襲撃され、フランス兵35人が殺害もしくは捕縛されたという。近寄りがたいような重苦しさを感じたのはそのせいだったのかと、しばし立ち尽くす。

ふたたびファンティエット市中心街へ戻り、ズック・タイン学校史跡に向かう。ズック・タイン学校は詩人、愛国者のグエン・トンの子息、グエン・チョン・ロイとグエン・クイ・アインらによって1907年末に建てられた私学校（〜1912年）である。ホー・チ・ミン（当時の名はグエン・タット・タイン）が、父親の知人で詩人、愛国者のチュオン・ザー・モーの仲介で、1910〜1911年に同学校で先生を務めた。1911年2月にこの地を離れたホーは、同じ年の6月5日にサイゴン（現在のホーチミン市）から渡仏の船路に就くことになる。

それほど高くない門を潜ると大勢の小学生が木造の建物内で長椅子に並んで腰をかけ、アオザイを着た女性から話を聞いていた。そのほかに幼稚園児、学生たちも見学に来ていた。敷地内を一回りした後、大きなマシンガンを肩にかけた守備兵の脇を抜けて外に出た。

道路を挟んで向かいにあるホーチミン博物館に入る。その脇には、海を間近に控えたカーティ川があった。川面には漁を終えた船の群れが見える。

館内を一通り観た後、待機していたタクシーの運転手に「市内最大の書店へ行ってください」とたのむと、南部の中心地ホーチミン市でもお馴染みの書店チェーンFAHASAに連れていってくれた。ショッピングセンターに入居したその店に入り、ビントゥアン省やファンティエット市について書かれた書籍をしばらく探す。店員にも聞いてみたが、そうした本は置いていなかった。

タクシー運転手

書店を後にして建物の外に出ると、ここまで付き合ってくれていたタクシーがいない。料金を支払った後なら分かるがまだであるし、運転手は「待っている」と言っていたので、少し待てば帰ってくると思っていた。しかし30分しても、1時間たっても戻らない。業を煮やして、近くで客待ちをしていた同じタクシー会社の運転手に会社の電話番号を聞き、応答に出た女性に消えた運転手の捜索をたのんだ。その後、さらに待ったが連絡はなく、再度会社に電話をして筆者の宿泊先のフロントに乗車代金を預けておく旨を、運転手に伝えてほしいと依頼する。傍にいたタクシー運転手3人にも同じことをたのんで、場を離れた。

先のFAHASAで紹介されたもう一軒のFAHASAへ向かう。タクシーで行ってみると、前日昼食を食べた商業施設前に停車した。しかし、この店でも地元

に関する書籍を見つけることはできなかった。

　資料収集はあきらめて、記憶を頼りに公的機関の建物が立ち並ぶグエンタットタイン通りを歩いて宿所へ向かう。日差しが強く、少し歩くだけで汗が目に入り、痛い。「汗をたくさんかく人は弱い」。ある傷病兵が汗を大量にかいた筆者を見てそう言ったのを思い出した。生理現象をも許さないのが戦争なのだろう。

　ホテルに到着し、フロントで事情を説明して、覚えていた料金メーター表示額にしたがい、タクシー代29万ドンを託す。休憩のために部屋に戻り、少しすると、フロントから「タクシー代は28万ドンでした」との連絡が入った。

　結局、事の仔細は分からないままである。しかし、「消えた運転手」は40歳で3人の子どもがいると言っていた。28万ドンあれば、フーティウ（南部でよく食される米麺）を家族5人で食べて、おつりがくる。

　長い歴史を持つ街で、それぞれの環境、状況、判断に基づいて、人びとは生きていた。

IV 「五感」

第18話　アナウンサーの発音

　日本のテレビやラジオのニュース番組では、NHK、民放を問わず、現在「標準語・共通語」とされる日本語が使用されている。東北方言、関西方言、沖縄方言などでニュース番組が報道されることはほとんどない。
　国営放送しかないベトナムでは、全国放送のニュース番組で、首都ハノイが位置する北部の発音にもとづいて話すアナウンサーが、長らく起用されてきた。

南部発音のアナウンサー
　そのベトナムで、南部発音の女性アナウンサーが、全国放送のメインニュース番組である国営ベトナムテレビ（VTV）の「19時のニュース」に2008年から登場した。ホアイ・アィンさんである（ちなみに、2007年10月に南部向け放送を行なうVTV9が設立されている）。
　VTVウェブサイト、VietNamNetの情報などによれば、ホアイ・アィンさんは旧ソ連留学経験を持つ知識人を両親として、1980年にハノイ市で生まれた。5～6歳のときに家族とホーチミン市に移り住み、ホーチミン市人文社会科学大学東洋学部日本科（現在の同大学日本学部の前身）を卒業し、航空会社勤務などを経て、現職に就いた。2010年に国防省勤務の男性と結ばれ、2011年に女児の母親となり、その後も元気に活躍を続けている。
　北部発音と南部発音の違いについてはさまざまな意見、説明があると思われるが、北部発音は声調が6つなのに対して、南部発音では5つとする説明など、いくつか一般的な解説がある。筆者の印象では、北部発音は抑揚がはっきりしているのに対して、南部の発音はやや緩やかに感じられる。たとえば、ベトナムでは同年輩や少し近い関係の男性に対して「Anh」（「兄」を呼ぶ際の親族名称）と呼びかけることがよくあるが、北部発音では「アィン」なのに対して、南部発音では「アン」に聞こえる。また、「An Giang」はメコンデルタに位置する省の

一日の仕事が終わり、宿所に戻るとテレビをつける（ヴィンロン省の宿泊先にて）

名称であるが、北部発音では「アンザン」、南部発音では「アンジャン」に聞こえる。

　二度目の長期赴任の際に（2013年3月〜2015年3月）筆者が継続して視聴していた頃の「19時のニュース」は、複数のアナウンサーが日替わりで担当していたが、大体以下のような形で放送されていた。

　国内ニュースを担当するアナウンサーが画面に向かって右側、国際ニュースを担当するアナウンサーは左側に座り（計2人）、基本的には、最初に国内ニュース、つぎに国際ニュースという番組構成であった。スポーツニュースは、「スポーツ7/24」という別番組として独立していて、「19時のニュース」終了後に放送されていた。

　筆者の確認し得た範囲では、当時、国内ニュース担当のアナウンサーが女性3人、男性1人の計4人、国際ニュース担当のアナウンサーは女性2人、男性1人の計3人となっていた。

　出演時の衣装は、女性アナウンサーは民族衣装アオザイ、男性アナウンサーは背広にネクタイを着用するのが、定型であった。

　先述のホアイ・アィンさんは国内ニュースを主に担当していた。華やかな色合いのアオザイに身をつつみ、柔らかな南部発音で淀みなくニュースを読み伝

えるホアイ・アィンさんの登場は、南北統一後のベトナムのテレビ放送におい
て画期的なことであった。

新たにもう一人

そして、筆者がホーチミン市赴任中の 2014 年、新たにもう一人の南部発音の
女性アナウンサーが「19 時のニュース」に登場した。トゥイ・ハンさんである。
正面を見据えて堂々とニュースを読み上げるその姿は、「19 時のニュース」出演
までに、ホーチミン市テレビ放送センター（現在の VTV9）でキャリアを積んでき
た研鑽と経験の確かさを感じさせる。トゥイ・ハンさんの母親もアナウンサー
だったとのことで、母親の姿を見て育った影響もあるのではなかろうか。

VTV ウェブサイト配信の情報などによれば、トゥイ・ハンさんはホアイ・アィ
ンさんと同じハノイ市生まれであり、ハノイ旧市街に位置するハンバック通り
が出生地である。3 歳のときに南部に移住し、2016 年 2 月上旬現在でホーチミ
ン市在住の夫との間に 4 歳の男児がいる。

2007 年 1 月に世界貿易機関（WTO）に加盟するなど、ベトナムは国際経済へ
の参入を行動指針としている。その WTO 加盟の翌年にホアイ・アィンさんが
「19 時のニュース」に登場した。ベトナムが参加を予定していた加盟国間の貿易
自由化を企図する環太平洋パートナーシップ（TPP）協定交渉が 2015 年 10 月に
妥結する前年にトゥイ・ハンさんが登場したのは、偶然の符合であろうか。

別れ

その後、トゥイ・ハンさんは多くの視聴者に惜しまれながら「19 時のニュー
ス」を去った。トゥイ・ハンさんはホアイ・アィンさんと同様に、華やかな色
合いのアオザイを着用することが多かった。2016 年 12 月 15 日、彼女が自身で
離任理由を説明するためにトークショーが行なわれた。トゥイ・ハンさんは、
南部向け放送を行なう VTV9 から出向というかたちでハノイに来ていたが、赴
任期間が当初予定していた 1 年を越えて 2 年間に及んだため、と説明した。トゥ
イ・ハンさんの夫と子どもはホーチミン市で暮らしており、家族の暮らす土地
に戻り、古巣に復帰することは、心情的にも安心できる選択だったのかもしれ
ない。

2017 年 1 月、新任のトランプ米大統領がアメリカの TPP からの離脱を決めた。
ニュース番組、特に「19 時のニュース」のようなメイン番組は、その時代のベ
トナムの政治・経済・社会状況を映し出す鏡である。ホアイ・アィンさん、トゥ

イ・ハンさんの今後の益々の活躍を祈りたい。

第 19 話　テレビ放送の変化

　テレビの視聴は、庶民にとって最も身近な娯楽のひとつである。ベトナムで
もテレビの視聴を楽しむ人が多い。

　日本の総務省統計局ウェブサイト掲載の『世界の統計　2014』によれば、2002
年のベトナムにおけるテレビ保有世帯率は 52.7% であったのに対し、2011 年に
は 87.8% にまで上昇している。

　国営ベトナムテレビ（VTV）のウェブサイトやベトナム語版ウィキペディアの
情報などによると、ベトナムで初めてテレビ放送が行なわれたのは、1960 年代
半ば〜 1970 年代初めのことであった。VTV が現在のように政府直属の独立機
関となるのは 1987 年のことになる。

　その後、VTV のチャンネル数は、以下の流れで増設された。

　1990 年代には、VTV2（科学技術・教育関連、1990 年）、VTV3（娯楽関連、1995 年）、
VTV4（在外ベトナム人、ベトナム在住外国人向け、1998 年）、の 3 つのチャンネルが
増設された。続く 2000 年代には、VTV5（少数民族向け、2002 年）、VTV6（青少年
向け、2007 年）、VTV9（ホーチミン市、南部東方地域向け、2007 年。2016 年に南部地域の
国家放送に格上げ）、VTV7（学習関連、2015 年）、VTV8（中部・中部高原地域向け、2016 年）
と、5 つのチャンネルが増設されている。

「19 時のニュース」

　筆者のような一外国人にとっては、長期滞在の機会でもない限り、ベトナム
の毎日のニュース番組や自身が好きな番組を視聴することは容易ではない。こ
こでは、筆者が初めてベトナムに長期滞在した 1999 年 3 月から 2001 年 3 月と、
二度目の長期赴任となった 2013 年 3 月から 2015 年 3 月との間で、どのような
変化があったのかについて、筆者が見た範囲内ではあるが少し紹介したい。

　日本の NHK の「ニュースウォッチ 9」に相当するベトナムのニュース番組と
いえば、ベトナム国営テレビ（VTV1）の毎日夜 7 時から放送される「19 時のニュー
ス」（「第 18 話 アナウンサーの発音」参照）だと思われる。

　「19 時のニュース」は以下の点で変化した。

ハノイ市内にある国営ベトナムテレビ
（VTV）の新社屋

　ひとつ目に、初めての赴任時にメインキャスターを務めていたキャスターた
ちは、19時の時間帯から別の時間帯に移動するか、もしくは別の番組の司会を
務めたりしていた。

　ふたつ目に、キャスターの服装については、以前から女性キャスターはアオ
ザイ、男性キャスターは背広とネクタイを着用していた。その点は変わらない
が、女性キャスターの着用するアオザイ、ネックレスなどの服飾品、男性キャ
スターが身に着けるワイシャツ、ネクタイの色彩、デザインは、明らかに鮮や
かとなり、多様化した。また、キャスターの背景画像は静止画像であったのが、
動画になった。

　3つ目に、メインキャスターは初めての赴任時には1人だったが、2014年9
月末現在では2人であった。基本的に1人が国内ニュース、もう1人が国際ニュー
スを担当していた。

　4つ目に、かつては北部発音のキャスターのみであったが、南部発音のキャス
ターが加わった（「第18話　アナウンサーの発音」参照）。

　5つ目に、国際ニュースについては、かつては外国のテレビ局が放送した
ニュース画像をそのまま放送したりしていた。しかし、多くの国で現地駐在の
ベトナム人特派員が各国、各地域の状況を直接伝えるようになった。VTVのウェ
ブサイトによれば、2012～2013年だけでブリュッセル（欧州地域担当）、シンガポー

ル（ASEAN 地域担当）、日本、中国の 4 カ国に海外支局が開設され、それまでの
アメリカ、ロシア、ラオス、カンボジアの支局と合わせて計 8 つの海外支局と
なった。

　最後に、毎日ではないが、「民が尋ね、大臣が返答する」という、担当キャスター
の質問に政府閣僚が直接答えるコーナーが設けられた。これは、国民の関心事
項について担当大臣が直接説明を行なう機会のひとつとなっていた。

　上記の諸点をみても、世代交代、放送内容の変化、放送技術の進歩、国際化・
海外進出の進展など、さまざまな変化をベトナムの看板ニュース番組が経てき
たことが分かる。

ドラマ、バラエティ番組

　変わったのは「19 時のニュース」のようなニュース番組だけではない。

　昔も現在もベトナムでは外国製作のドラマをよく放送しているが、初めて赴
任した際には、1 人の担当者が登場人物すべての声の吹き替えを行なっていた。
老若男女皆同じ声で、せわしなく、ぎこちなかった。しかし、2014 年 9 月末の
段階では、多くの番組でそれぞれの役にそれぞれ別の吹き替え者がつくように
なった。

　国際協力も深められている。たとえば 2013 年に日越国交樹立 40 周年を迎え
たことを記念して、VTV は日本の TBS テレビとドラマ「パートナー（Người cộng
sự）」の共同制作を行なった。このドラマは、ベトナムの植民地支配からの独立
運動を指導したファン・ボイ・チャウ（1867 ～ 1940 年）と、彼が日本からの援助
獲得を視野に訪日した際に支援を行なった浅羽佐喜太郎医師（1867 ～ 1910 年）と
の友情を軸に描いたものであった。番組は 2013 年 9 月 29 日に両国で放送された。

　また、イギリスで生まれた料理番組「マスターシェフ」を雛形とした「マス
ターシェフ　ベトナム（Vua đầu bếp）」が土曜日夜 8 時から VTV3 で放映されてい
るのを何度か視聴した。これは職業に関係なく、腕に覚えのあるベトナムの「料
理人」たちが互いの腕を競い合う勝ち抜き戦の料理番組である。レギュラー審
査員（料理専門家）のなかには、「料理人」が必死に作った料理を一口食べただけで、
表情をゆがめ、ごみ箱に捨ててしまうような人もいた。長らく貧困削減を課題
としてきた国とは思えない光景であった。さらに、ハノイ滞在中には、何チャ
ンネルであったか定かではなく、ひょっとするとケーブルテレビであったのか
もしれないが、夜拙宅でリモコンを操作しているさなかに、日本の人気番組「料
理の鉄人」のベトナム版が放送されているのを数回見かけた。

　韓国との番組制作協力も積極的に進められていた。2014 年 8 月には、VTV と韓国の CJE&M による、ドラマ「青春時代（Tuổi thanh xuân）」の共同制作が公に伝えられた。また VTV3 では、韓国企業の後援を得た未来のスター歌手発掘番組を放送していた。バラード、ラップ、ダンスなどさまざまな技量を磨いてきた若者たちが、韓国でのレッスンを含めた歌手デビュー機会の獲得を目指して、互いにパフォーマンスを競い合う番組であった。

　そのほかに台風や熱帯低気圧の接近に対する早い段階からの警戒呼びかけなど、気象情報番組も以前と比較して明らかに充実した。

　コマーシャルにも変化は及んでいる。かつては、静止画像に音声による商品アピールがつくという形のコマーシャルがよく見られた。しかし、いまやコンピュータグラフィックスを駆使したコマーシャルが当たり前のように普及している。コマーシャルもひとつの表現世界を形成するようになっている。

　その一方、ベトナムの伝統・文化を守り、歴史的経験を伝え、リマインドしようとする番組もまだ多く放送されていた。たとえば、ディエンビエンフー戦勝 60 周年（1954 年 5 月 7 日〜2014 年 5 月 7 日）を迎えた際には、多くの関連番組が製作、放送された。

　テレビは時代の流れを如実に反映し、茶の間と外の世界を繋いでいる。ベトナムの歴史・伝統・文化の保全、伝承と賞揚に対する留意を保ちながらも、近代化、国際化の波が、ベトナムのテレビ業界にも着実に押し寄せている。

第 20 話　におい

　これまでベトナムを歩いていると、北部、中部、南部を問わず、いろいろな「におい」があった。二度目の赴任時（2013 年 3 月〜2015 年 3 月）も、それは同じであった。

　昔ながらの市場に行くと、生きた鶏・アヒル・魚をさばいて売る店、牛・豚の肉塊を切り分けて売る店、フォーやブーンといった汁麺など各種お食事処、干しエビなど海産物の干物、山盛りの干しシイタケや、シナモン、スターアニスなどの香辛料、ニョクマムなどの調味料、色合いの濃い各種ドライフルーツなど、さまざまな商品を販売する店が集まっている。それら商品が発する独特のにおいだけでなく、手当たり次第に客に声をかける店員、荷を担ぎ、急いで狭い通路を通り過ぎていく出入り業者、自身も含めた買い物客の汗、吐息、熱

村役場のトイレ

気、残り香も入り混じり、ねっとりした濃密なにおいが立ち込める。

さまざまな地方で

ハノイやホーチミン市で市バスに乗車中もそうだ。そこにはにおいがあった。ある日、車体の揺れや短い間隔でぐるぐる回るルートにバス酔いして、若い女性が吐いた。その女性が下車した後、傍で立っていた乗客は嘔吐物を跨いで平然と腰かけた。また街では、路上で各種生活ゴミと格闘する清掃の人たちの姿があった。

地方に調査へ出かけたときも、さまざまなにおいがあった。社人民委員会（村役場）のトイレに行くと、ときに壁の隅に溝があるだけの場所もある。においで確かにその場と確認できるが、どこに向かって小便をすればいいのか一瞬戸惑う。

中国との国境に近い北部東方地域では、ベトナムのフランスパンに具材を挟んだバインミーを毎朝食べた。やや小ぶりのバインミーにタレを塗って炭火オーブンで温め、ソーセージか焼き肉そしてキュウリ、香菜を挟んで店の人が渡してくれる（1個1万ドン、当時1ドル約2万1000ドン）。通学前の小学生、出勤前の大人たちに交じってバインミーを待つ間、通りを行き交う客を誘う美味しそうなにおいに包まれて、何度もつばを飲み込んだ。

　この地域ではこんなおまけもあった。仕事を終えてハノイに戻るマイクロバスの車中では、運転手が鬼の形相でハンドルを握っていた。途中、客引き兼車掌役の男性とともに、道路脇で客を待つ行商人とグァバの値下げ交渉に夢中になったり、バス停のない場所で意中のバスを待つ人たちを乗車させようと交渉に夢中になったりで失われた時間を、取り戻そうというのだろう。ジグザグ走行でつぎからつぎへと同じ車道を走る車を追い抜いていく。車内では見知らぬ者同士が運命を共にしながら、こもった微妙な空気に身を浸していた。

　北部西方地域では、少し奥地に入った際、帰りが遅くなって周囲が闇に包まれかけた。薄暗くなった視界のなかにいくつかの高床式住居がぽっかりと浮かんでいる。灯りの下で過ごしている人たちが羨ましい。密度の濃い空気に包まれ、風が運ぶ山川草木のにおいに五感を研ぎ澄ましながら、宿所の方角に向かって土の道を歩き続けた。

　中部高原地域では、調査地に入ると、庭先のところどころで収穫したコーヒー豆が干してあった。あの独特のコーヒーのにおいは、焙煎によってはじめて出てくるものとのことで、何が干してあるのかにおいでは分からなかった。

　1日の仕事を終えて宿所に一旦帰り、食事に出て戻ってくると、宿所脇で営まれている焼きせんべい屋に引き付けられた。大ぶりのベトナムせんべいに甘辛ダレを塗り、炭火であぶって客に出すその店は（1枚5000ドン）、なんとも香ばしいにおいに包まれていた。そのにおいに誘われて筆者は何度も寄り道をした。パリパリとした食感が、おいしさを引き立てた。

　南部メコンデルタ地域では、バイクで1時間かけて指定された宿泊地から調査地に通った。調査地にたどり着くと村役場に直行し、待ち合わせた責任者の案内でインタビュー先に向かう。昼食はいつも村の食堂だった。丸いお皿に盛った白米の上に、豚の焼肉もしくは黄身を固めに焼いた目玉焼きと少しの野菜がのったシンプルなメニューでペットボトル入りのランブータンのジュースをつけて、2万ドンだった。昼食後は、午後に備えて村の診療所2階のスペースで休憩した。汗をかいてベンチに座っていると、心地よい風が吹き抜ける。周囲に植えられた特産の緑色をした文旦や庭に植えられた薬草などのにおいを、風が包んで運んできた。

気になる懐深さの行方

　においといえばこんなこともあった。今回のベトナム滞在中、テレビを見ているとつぎのような防臭剤のコマーシャルが流れた。危機に陥った若い女性を

現場に居合わせた男性が捨て身で助ける。だが、気絶したその女性が目を覚まして命の恩人のにおいを嗅いだ途端、大きな悲鳴を上げるのだ。

　生物が生きる場所には、さまざまなにおいがある。筆者がベトナムに関わってから 20 年以上経つ。現在の日本に比べて多様なにおいが許容されているように感じてきた。有毒な場合は論外だが、近代化・都市化が進行するなかで、多様なにおいに対するベトナム人の懐深さが失われていくのなら寂しい。

第 21 話　音

　経済発展が続いてきた現在のベトナムでは、建築現場が無数にある。既存の建物を壊して新たな建物を作る作業過程も、よく見られる。街を歩いているときや仕事場の窓を通して、高所で作業員が、自分自身の立っている足元付近めがけてハンマーを振り下ろす作業を何度も見た。当の作業員たちは臆している風に見えない。しかし、この作業を目にするたびに筆者はハラハラした。作業員たちはポイントを探してはハンマーを振り下ろし、少しずつ移動していく。命を懸けた、破壊と創生に向けた衝突音は、その場を離れ、時を経ても耳に残る。

テト

　2015 年にはホーチミン市でテト（旧正月）を迎えた。ふだんはバイク、自動車のエンジン音、クラクションやむことなき街が、静けさを湛えていた。ベトナムでは、禁止されて久しい爆竹の使用がときにニュースで報道されることもあるが、その気配もない。ほとんどの店がシャッターを閉めてしまい、旅行客たちがガイドブックを片手に街を歩き回っている。それまで当たり前と思っていた街の喧騒が、必ずしもそうでないことを学んだ。

　このテトを、近年のベトナムの大都市では盛大な花火で迎える。陽暦の新年も同様である。カウントダウン終了と同時に「ドーン、ドーン」と連続音が鳴り響き、舞い上がった火の玉が最高点に到達すると、「バン」と弾けて夜空に色とりどりの花を咲かせる。風向きによっては白煙に妨げられることもあるが、可憐な美しさにしばし時を忘れる。

　「ドン、ドン」という音と言えば、太鼓の音。ベトナムでは、式典や学校での時（とき）の合図として、太鼓がしばしば用いられる。筆者のような素人では、日本の

雨音が街を包む（ハノイ市）

太鼓との区別はつかない。空気を揺らして隅々に伝わるその音は、時代を越えて残ってきたベトナムの音のひとつである。

　街中で迫力ある音の発信源といえば、企業、商店の商品プロモーションの催しもある。大量の色鮮やかな風船を飾り付けたセット上に据えられたスピーカーが鳴動し、場を盛り上げようとする司会役の声と音楽が、行き交う人たちの耳に無遠慮にアクセスする。

カラオケ

　カラオケも忘れてはならない。ホーチミン市滞在時（2014年3月〜2015年3月）には、飲食店が住居近くにあったため、深夜までカラオケ音が鳴り響いていた。静まり返ったテトの街中でも、細長い机を歩道上に出してカラオケ機器を置き、照れくさそうに歌を楽しむ人たちの姿を見かけた。

　都市部だけでなく農村部にもカラオケは浸透している。ホーチミン市に生産拠点を持つ、カラオケスピーカーの製造を得意とするあるメーカーでは、多くの体の不自由な労働者が活躍していた。この企業は、ベトナム全国の農民、労働者層を主なターゲットにしていた。

　前年に続いて2008年にベトナムの中部北方地域の農村部で調査を行なった際、お世話になった方の自宅にもカラオケセットがあった。

　昼休みの時間、付近の人がやって来て歌がはじまった。かなりの音量で、筆者は隣りの部屋で横になっていたのだが、歌を聴いていて急に差し込みに襲われた。大波小波のせめぎ合いの末、堪えきれずに便所に駆け込んだ。しかし、用を足したのはいいものの、作法が分からない。迷った挙句、拭いた新聞紙を

生産物の上に置いて外へ出た。その家の小学生の娘さんと友人たちが日本人を一目見ようと集まっていて恥ずかしかった。子どもたちは、筆者の残した「生きた教材」を通して、人間は国籍性別関係なく皆同じということが確認できたのではなかろうか。

人工音から離れて

　自然の音といえばまず雨音だろうか。通りを自転車で移動中、黒い雨雲が近づくと、下界ではさやさやと風が舞い、路上に落ちた葉やゴミなどがうごめきはじめる。気配を察したバイクや自転車で移動中の人たちは、車両を道路脇に止め、愛用の雨合羽を慣れた手つきで身に着ける。しばらくすると、自身と周囲の人たち、道路、建物を雨が打つ音、エンジン音、ペダルをこぐたびに雨合羽が擦れ合う音との協奏に包まれる。

　ベトナムの雷音はかなり迫力がある。バリバリっと、暗くなった空を引き裂く稲妻を上空に確認し、「1、2、3……」と数えると「ドドォッ」と重厚な振動音。気象科学が発達していなかった昔、人びとはどのような意味を込めてこうした天候を理解したのだろうか。そういえば、1994年に禁止されたテトの爆竹の風習は、爆竹音が雷の音に似ていることから、降雨、ひいては豊作を祈ったものという話を聞いたことがある。

　最後の音は蚊の羽音。最も記憶に残っているのは、先述したベトナム中部北方地域で調査を行なった際に出会った蚊たちである。調査地近くにある宿屋の2階の部屋に滞在していたが、外壁に穴がひとつ空いていた。ベッドの蚊帳にも複数の綻びがあった。日中の調査、夕食を終えて部屋に戻り、ほぼ水状態のシャワーを浴びる。洗面台に水を溜めて洗濯粉を溶かし、洗濯物をしばらく浸した後、手で擦り、濯ぎ、絞って干す。つぎに、ベッドに蚊帳を張って、その日書き込んだ調査票をチェックし、調査日記を記す。日課を終えて横になると、蚊との戦いに専念することになる。抑揚のある繊細な蚊の羽音に、「ピシッ」と肌を打ち付ける音が時折混じり、響く。蚊と人の織りなす交響曲。お互いに真剣な「演奏」がしばらく続いた。

第 22 話　涙

　二度目の長期赴任の際 (2013 年 3 月〜 2015 年 3 月)、ベトナムでは、「決して別離ではなかったように…（Như　chưa hề có cuộc chia ly…）」、「金の牛鈴——多くの故郷をつなぐ（Lục Lạc Vàng　Kết nối những miền quê）」というテレビ番組が放送されていた。

　「決して別離ではなかったように…」は、国営ベトナムテレビ（VTV）のVTV1 で毎月 1 回土曜日の夜 8 時 10 分から放送されていた。第 1 回放送は、2007 年 12 月 1 日で、1 時間ほどの同番組では、ジャーナリストのトゥー・ウェンが司会を務めていた。トゥー・ウェンは 2015 年にベトナムテレビ勤続 25 年を迎えたベテランである。かつては報道番組でニュースを伝えていた。

　ベトナムは幾多の戦争、困難を経て今の時代を迎えた。戦中、戦後の混乱など、さまざまな事情で生き別れとなった人たちが、番組スタッフの追跡取材、視聴者から寄せられた情報などを元に探し出され、再会を果たす。同時に、他の人探し案件の情報提供を視聴者に求めながら番組は進行される。助力を得て探し出した側と、期せずして探し出された側。長い時を経てふたたび巡り会えた人たちの多くは、涙を堪えきれない。

　「金の牛鈴——多くの故郷をつなぐ」は、同じ VTV1 で毎週日曜日の夜 8 時50 分から 45 分の枠で放送されていた。初回放送は 2011 年 6 月 12 日である。

　この番組では、農村を訪ね、国の定めた貧困基準（2016 〜 2020 年の貧困基準は、農村部で収入 70 万ドン以下 /1 人 / 月、都市部では収入 90 万ドン以下 /1 人 / 月など）に合致する貧困戸であること、小学生 3 年生以上の子どもがいること (2015 年 1 月 10日付番組文書) など、いくつかの基準を満たす家族の中から、当該農村の人びとの同意が得られ、番組によって選ばれた 6 つの家族に雄雌の牛 1 頭ずつと当座の飼育費をプレゼントする。これら種牛を養育し、種をつけ、出産の世話をし、その子牛を売ることを通して、当該家族を貧困から抜け出させようという目的を持っていた。

　番組は、現地農村とホーチミン市内の会場のふたつが主な舞台であった。

　受賞歴など一定の条件を満たす者に贈られる優秀芸術家の称号を持つチー・チュン (2016 年 4 月 24 日放送分から。それまで現地司会を務めてきたミン・ベーオは不祥事で降板した) が、現地農村で司会を務める。チー・チュンは番組スタッフと共

ベトナム戦争の激戦地クアンチ省にある烈士（戦死者）の墓。「身元不詳」と彫られた墓石が多数並ぶ

に村人たちと交流し、種牛と寄付金をそれぞれの家族に届ける。

　6家族の中から選ばれた1家族の代表者は、ホーチミン市内の番組会場に招かれる。会場では、村での暮らしの様子が上映され、司会を務めるタイン・ターオの進行で、出演者は自身の日常を語る。心情に触れる質問に答え、画面に映る子どもなど肉親の様子を目にするうちに、さまざまな思いが胸に去来して、出演者の多くが涙を流す。

　これら両番組とも長寿番組で、少なくとも2018年4月の段階でまだ放送が続いている。

調査での経験

　これまで、福祉関係の調査で多くのベトナムの人たちに話をきいてきた。インタビューの最中に涙を流されることも、ときにあった。

　北部西方地域のホアビン省で調査を行なった際、共に1950年代生まれの夫妻に話をきく機会があった。主人はベトナム戦争中に中部北方地域のクアンチ省ケサンで戦闘に参加し、枯葉剤に直接被災した。夫人は元教員。3人の娘に恵まれ、長女は大学を出て教員となり、次女は農業に従事し、それぞれ家庭を持った。しかし、ベトナムでドイモイ路線が採択された1986年に生まれた三女は障害を持ち、枯葉剤被災者として認定されていた。筆者が訪問したとき、三女は入院中で会うことは出来なかった。主人の話をきくことが目的で訪問したのだが、夫人が入院中の三女のことを心配して何度も腕と手で涙を拭った。

　この主人が戦闘に参加したという中部北方地域のクアンチ省でも、人びとの涙を見た。ベトナム戦争中に地元でゲリラ活動に参加した1950年代生まれの女

性は、戦争終了時 23 歳であった。その後中学に通い、村役場の幹部を務めた。女性は、刑務所で看守をしていた夫、末の息子と暮らしていた。話の流れで、女性が亡くなった父親の話をしはじめたとき、突然息をぐっと吸い込み、言葉に詰まって場の空気が止まった。父親はベトナム戦争中にこの家で敵兵に殺害されていた。

　南部東方地域のホーチミン市郊外を訪ねたときにも、涙があった。両手両足に障害を持つ 2 歳の女の子の状況を母親にたずねたときのことだった。父親は工員、姉は小学校に通っていた。女の子の父方、母方の両祖父はベトナム戦争で従軍した。父方祖父は地元でゲリラ活動に参加し、母方祖父はカンボジアにもいった。木造（きづく）りの家。壁の板には穴が空いた箇所があり、板と板の間には隙間も見られた。道路で偶然会った越僑から寄贈された車イスに乗り、女の子は母親の宝くじ売りに同行する。

　インタビューを進め、「最も心配なことはなんですか？」と尋ねたとき、母親が突然泣き出した。この家族を筆者に紹介してくれた支援組織の若者が、厳しい目線をこちらに向けていた。

　自身ではどうしようもない歴史的事由や事情によって、影響を受けてきた人たちがいる。日本も、第 2 次世界大戦時にこの地域に軍を進駐させた過去を持つ。涙の理由（わけ）をしっかりと受け止めたい。

V 「健康」

第23話　運動、スポーツ

　ベトナムの街では、早朝と夕方に少し外出して公園などに行くと、思い思いに体を動かす人たちの姿をよく見かける。

　散歩を楽しむ人、真剣な表情で後ろ向きに歩き続ける人、バーベルなどの器具を用いて筋肉強化に励む人、公園内に設置された鉄棒、自転車・スキー歩行形式の運動器具などで体を動かす人、歩道と車道の境に設置された支柱間に架けられた鉄鎖に足を乗せて、前後に動かす動作を繰り返す人……さまざまである。街の中心から外れた郊外ではこんなこともあった。赤っぽい派手なサイクルウェアに身を包んだサイクリストがスポーツ自転車に乗って颯爽と車道を走っていた。筆者が乗車中の車両がその自転車を追い抜く際に振り返って見ると、深い皺が顔に刻まれた老人だった。

　黙々とメニューに取り組む人たちばかりではない。仲間と大声を出しながらバドミントン、バレー、卓球、サッカーに興ずる人たち、集団でエアロビクスに取り組む人たちもいた。

　観るだけの人も含めれば、スポーツ競技のなかで一番人気はやはりサッカーではないか。ベトナムの国内リーグだけでなく、イングランドのプレミアリーグなど世界各地の試合がテレビで放送されている。筆者滞在中（2013年3月〜2015年3月）には、日本で販売されているプロ野球チップスと似た、欧州のリーグでプレーする選手たちのカード付スナック菓子が売られていた。サイズは小ぶりだが、カードには選手の全身写真、ポジション、攻撃力・守備力の評価ポイントが色鮮やかにプリントされていた。

リオデジャネイロ・オリンピック
　2016年8月5日〜21日にかけて開かれたリオデジャネイロ・オリンピック（以下、リオ五輪）では、水泳、重量挙げ、体操などの23選手がベトナムから参加し

夕刻、タインコン湖のほとりで散歩を楽しむ人たち
（ハノイ市）

た（以下、VnExpress, tuổi trẻ online, Tin tức báo Thanh Niên 掲載記事などにもとづき記す）。

　それまで、ベトナムでは、2000 年のシドニー五輪でテコンドー女子 57 キロ級のチャン・ヒュウ・ガン選手、2008 年の北京五輪で男子重量挙げ 56 キロ級のホアン・アイン・トゥアン選手がそれぞれ銀メダルを獲得していた。2015 年 7 月下旬段階で、体育・スポーツ総局は、1 〜 2 個のメダル獲得を目標にするとしていた。

　滞在中にメディアで活躍がよく伝えられ、筆者の印象に残っていた男子射撃のホアン・スアン・ヴィン選手（以下、ヴィン選手）、女子水泳のグエン・ティ・アイン・ヴィエン選手（以下、アイン・ヴィエン選手）もリオ五輪に出場した。ヴィン選手は、10 メートルエアピストルで史上初めての金メダルをベトナムにもたらし、50 メートルピストルでも銀メダルを獲得した。アイン・ヴィエン選手は 200 メートルと 400 メートル個人メドレー、400 メートル自由形に出場し、得意の 400 メートル個人メドレーで、自己ベストを 2 秒近く上回る 4 分 36 秒 85 のタイムをマークして 9 位に入った。決勝進出の 8 位まで、あと 0.31 秒というところまで迫った。

　ヴィン選手は身長 175 センチ、75 キロで、1974 年 10 月 6 日にハノイ市ソンタイで生まれた。弟と腹違いの妹がいる。父は元工兵、実母は工員であった。幼少時に実母を亡くし、ヴィン選手に士官学校入学を勧めたという継母もすでに亡くなった。現在は妻と 2 人の子どもに恵まれている。選手としての経歴を積むのは遅かったとされ、工兵士官学校を 1994 年に卒業後、ハータイ省の工兵 239 旅団で勤務した。1998 年に軍の射撃大会でトップとなり、1999 年から競技生活に入った。2 年に一度開かれる東南アジア諸国のスポーツの祭典東南アジア

競技大会（SEA Games）で多数のメダルを獲得するほか、2012年のロンドン五輪では10メートルエアピストルで9位、50メートルピストルで4位に入っていた。

　ヴィン選手は海外での試合も多く、家を留守にしがちであり、妻のファン・フォン・ザンさんも、軍で勤務している。そのため、夫妻不在時には、ザンさんの両親が子どもたちの世話をして家族を支えている。

　次に、アイン・ヴィエン選手を紹介したい。アイン・ヴィエン選手は身長173センチ、53キロで、1996年11月9日に南部メコンデルタの中心地カントー省（現在のカントー市）の農村に生まれた。両親と水泳に取り組む年の離れた弟が1人いる。アイン・ヴィエン選手は、父方祖父から水泳を学び、小学校時から頭角を現した。そして軍体育・スポーツセンターの指導者に認められ、アメリカのフロリダでの練習機会など国の支援を受けながら練習を積み重ねてきた。2012年のロンドン五輪でも、200メートル背泳ぎ、400メートル個人メドレーに出場している。また、リオ五輪前の2015年にシンガポールで開催された第28回東南アジア競技大会では、金メダル8個、銀メダル1個、銅メダル1個を獲得し、ベトナム国民を熱狂させた。

　アイン・ヴィエン選手もヴィン選手と同様にストイックな競技者生活を過ごしており、両親や弟が待つカントー市に帰省できる機会はあまりない。

　ヴィン選手、アイン・ヴィエン選手は、共に軍関係者である。給与、褒賞金について言及する報道も多く、国の支援を受けての競技者生活には、両選手だけでなく家族にとってもさまざまな重圧が伴う。

　ヴィン選手、アイン・ヴィエン選手が、競技生活を終えて指導者になったとき、競技以外の側面に関心を持つ人たちも、両選手のようなトップアスリートをベトナムが持つことができた意味を理解するのではなかろうか。

第24話　パラリンピック

　ブラジルのリオデジャネイロでパラリンピック（以下、リオパラリンピック）が、2016年9月7日から18日まで開催された（以下、tuổi trẻ online, Tin tức Báo Thanh Niên,Thể thao & Văn hóa 掲載記事などにもとづき記す）。

　ベトナムからは重量挙げ、水泳、陸上に11選手が参加した。ベトナムが初めてパラリンピックに参加したのは、2000年のシドニー大会でのこと（選手2人）。

リハビリに取り組む障害者（クアンチ省）

アテネ大会では倍の4人、北京大会で8人、ロンドン大会では11人の選手が参加してきた。

　ベトナムのパラリンピック協会副会長兼事務局長ヴ・テェー・フィェット氏によれば、今回派遣された選手のほとんどは、困難な家庭事情を持ち、ベトナムの南部から参加している。

　これまでの大会でメダル獲得者はゼロであったが、リオパラリンピックでは、快挙が相次いだ。男子重量挙げ49キロ級でレー・ヴァン・コン選手が金メダル、女子重量挙げ50キロ級でダン・ティ・リン・フォン選手が銅メダル、男子50メートル自由型S5（肢体不自由）でヴォ・タイン・トゥン選手が銀メダル、男子やり投げF56/57（車いす）でカオ・ゴック・フン選手が銅メダルと、計4人のメダリストが誕生した。それだけでなく、金メダルを獲得した重量挙げのレ・ヴァン・コン選手は、183キロを持ち上げて自身の持つ世界記録を1キロ更新した。

　ここでは、重量挙げのレー・ヴァン・コン選手（以下、コン選手）と、競泳のヴォ・タイン・トゥン選手（以下、タイン・トゥン選手）について、少し紹介したい。

コン選手

　コン選手は、ベトナム中部ハティン省の出身で1984年6月20日生まれ。母親が妊娠中にデング熱に罹ったことが原因で、両足に障害を持って生まれた。家計が苦しく、19歳のときに1人、ホーチミン市に移り住んだ。木材の研磨、入力作業、電子機器の修理（電子機器について専門学校で学んだ）など、さまざまな生きる術を持つ。コン選手がホーチミン市内の障害者スポーツクラブで重量挙げに出会ったのは2005年のことで、友人に紹介されたのがきっかけだった。そ

の数カ月後に開かれた全国大会で、コン選手はすぐに2位に入った。

奥さんのチュー・ティ・タームさんはコン選手の出身地ハティン省に隣接するゲアン省出身で、2006年に南部に移り住んだ。出会いの後、互いに惹かれあったが、タームさんの両親の猛反対にあった。しかし、2人は思いを貫いて2008年に結ばれた。夫妻は2人の子どもに恵まれ、2014年にホーチミン市の隣省ロンアン省に新居を構えた。

2016年9月21日、朝のホーチミン市タンソンニャット空港には、帰国したコン選手を迎える妻と子どもたちの姿があった。

国家オリンピック委員会は、コン選手の功績に対し、1万ドルの報奨金を贈ることを決定した。これは、リオ五輪の射撃10メートルエアピストルでベトナム史上初めての金メダル、50メートルピストルで銀メダルを獲得したホアン・スアン・ヴィン選手に対する報奨金と同額である。

タイン・トゥン選手

タイン・トゥン選手は、3人兄弟姉妹の長男として、1985年7月26日にメコンデルタに位置するアンザン省で生まれた。幼少時に悪性のポリオに罹り、両足が発育不全となった。親が漁業を営む関係で川とともに育った。その後アンザン省の隣に位置するメコンデルタの中心地カントーに移り住んだ。2005年に街の拡声器が伝えるカントー市文化・スポーツ・観光局からの知らせを耳にして、障害者競泳大会の開催を知った。タイン・トゥン選手は、その大会で大活躍し、競技生活に入るきっかけをつかんだ。

タイン・トゥン選手は高校卒業後、電子機器関係の専門中級学校で学び、さらに大学の場で電気・通信部門の勉強を続けた。水泳だけでなく、電話修理などの生きる術を身に付けている。

伴侶との出会いにも、競技生活に入ったときと同様に、偶然が作用していた。2011年に練習から帰るバスの中で、ホーチミン市に服の買い出しに来ていた、カントー市内で洋服店を営むチュック・フォンさんに出会った。リオパラリンピック開催前の報道によると、夫妻は9月に誕生予定の第1子にリオパラリンピック出場を記念して"リオ"と名付けることを決めたという。

リオ後2年ほどたった2018年に入っても、コン選手、タイン・トゥン選手は現役生活を続けている。ベトナムには約700万人超の障害者が暮らす（2015年6月現在、人口の約7.8%）。リオパラリンピックにおける選手たちの活躍を契機として、更に新たな才能が発掘、育成され、2020年の東京パラリンピックでは、ベ

トナム選手の一層の飛躍、活躍が見られることを期待している。

<h1 style="text-align:center">第25話　診療所</h1>

　身近な場所に医療機関があり、活動が維持されていることは、住民の暮らしに大きな安心感を与える。

　2017年9月のこと。ベトナム北部紅河デルタ地域にある一行政村の公的医療機関（以下、診療所）を訪問すると、年配の人たちが集まっていた。視力検診の日だという。見ていると、白衣を着た専門家が、診療所の一室の壁際に置かれたコンピュータに映し出した文字や、新聞を参加者に読ませて視力を測定している。それを終えると、建物前に設置した測定器で、購入すべきメガネレンズの度数を合わせるという流れだった。測定器の脇に置かれた木製の入れ物には、メガネのサンプルが多数並んでいた。

制度上の位置づけ

　ベトナムの行政レベルは、中央、省レベル、県レベル、社レベルの4層からなる。末端の行政レベルである社レベルの行政単位総数は、筆者が赴任していた2014年段階で1万1161であった。この社レベルには、社（農村部の末端行政単位）、坊（都市部の末端行政単位）、市鎮（農村部のなかでも中心地〈町〉に相当）の3種類が含まれる。それぞれの該当総数は、9001、1545、615、という内訳であった。

　これら社レベルの行政単位のうち、1万1110カ所で診療所が設置されており、ベトナムの末端行政単位における診療所設置率は約99・5%であった。制度上、それぞれの行政級に設けられた病院を含めた公的医療体系の末端に位置する診療所は、正式には直接上の行政級（県レベル）の医療センターに属する。

　診療所の役割は、予防接種などの予防医療、診療、出産ケア、コミュニティの健康管理、健康に関わる教育や情報の普及など、多岐にわたる。

調査から

　2回目の赴任期間中（2013年3月〜2015年3月）は、福祉関係の調査研究を課題としていた。それぞれの調査地で調査を実施した際に診療所を訪問した。数は少ないが、ベトナムを大きく北半分と南半分に分けると、前者4カ所、後者5

農村部の診療所（タインホア省）

カ所で診療所責任者に話をきいた。

　訪問した診療所には、同じ診療所といっても、以下のようにさまざまなヴァリエーションがあった。

　大卒医師が在籍しているところと不在のところ、超音波検査機など一定の医療機器が備えられているところと備えられていないところ、近くに病院が存在しているところとバイクか自動車を使用しても30分以上はかかるところ、地域住民が通いやすい立地条件のところとそうでないところ……。

　調査をしていくなかで、診療所が置かれた立地と環境によって、診療所に期待される役割と機能に違いがあることが分かってきた。

　たとえば、医療スタッフ、医療設備、常備薬の整備された病院が診療所の比較的近くにあり、道路も整備されていて、患者にとってアクセスに問題がない場合。こうしたケースでは、当該診療所の診療能力がたとえ低くても、近くの病院がその能力不足をカバーしうる。

　しかし、診療所から各種条件が整った病院までかなり距離があり、道路も未舗装で、アクセスが容易でない場合には、当該診療所の診療能力の不足を補う方途が制限される。このケースでは、当該診療所の診療能力の不足が、患者の病状にとって致命的なものになる可能性を孕んでいる。したがって、こうした立地、環境下にある診療所については、医療スタッフ、医療設備、常備薬の整備、充実が不可欠となる。

　また、たとえ患者の自宅から診療所まで距離的に近い場合でも、もし道路が未舗装で土の道であった場合、雨が少しでも降れば道がぬかるみ、移動が困難になる。

　したがって、道路など診療所を取り巻く交通インフラの整備も、医療スタッフ、医療設備、常備薬の整備と同様に、患者の診療に直接的な影響を与える要因となりうる。診療所の活動の土台を支える電力、水源については、言わずもがなである。

　ベトナムの医療整備の問題について考えるとき、医療に直接的に関わる事項だけでなく、それらを支える道路、電力、水源といった生活インフラの整備状況についてもあわせて考えていく必要があることが分かる。

住民の健康を守るために

　筆者が訪問した診療所の大半は、学校の保健室のような作りで、医療機器も十分に設置されていなかった。また、医療機器はあっても、それを使いこなす技術を持つ人材は限られていた。技術を習得するために誰かが長期研修に出た場合も、人員の補充はない。残るスタッフで日常の業務に対応することが求められる。実際、診療所が診療可能な範囲は限定的であり、患者を診た後、症状に応じて病院を紹介するケースが少なくない。

　全国に展開するこうした診療所の質的な向上を、これら診療所が活動する地域的文脈に即して実現することができれば、地域住民の暮らしにとってそれほど心強いことはない。先述したように診療所の立地、地理的条件によっては、住民の健康を守るために、医療スタッフ、医療設備、常備薬の充実を図り、自立的な診療能力を備えることが不可欠な地域もある。人里離れた場所に能力を持つ医療スタッフを配置し、充実した医療設備と医薬品を整え、維持、保守し続けることは容易なことではない。コストもかかる。しかし、それでもなお、ベトナムにとって克服すべき大きな課題のひとつとして、留意される必要がある。

Ⅵ 「外とのつながり」

第26話　国連障害者権利条約

　オーストラリアのニック・ブイチチさんが2013年と2014年にそれぞれベトナムを訪れた。その際、国営ベトナムテレビ（VTV）は特別番組を放映し、ベトナムの若者たちが熱狂的にブイチチさんを迎える様子をテレビで観た。先天的に四肢がないという障害を持つブイチチさんは、キリスト教伝道者であり、講演活動などで国際的に活躍している。さまざまな困難を乗り越えて生き抜いてきたブイチチさんの生きる姿勢に、若者だけでなく多くのベトナム人が共感していることが分かった。

　ベトナム赴任当時の国連機関の推計（2013年）によると、世界人口の約15%にあたる10億人が障害を持って暮らしている。そのうち約8割は開発途上国に住む。また、ベトナムの労働・傷病兵・社会問題省によれば、2015年6月までにベトナムでは人口の約7.8%、約700万人の障害者が暮らしている。このうち約58%が女性であり、約28.3%が子ども、約10.2%が高齢者である。そして交通事故、労働災害の多発などにより、障害者数は上昇傾向にある。

条約の批准

　2014年11月28日、ベトナムの第13期第8回国会において障害者権利条約批准決議案が可決された（以下、国会決議84）。採決の結果は、投票参加者440人中賛成440人というものであった。

　2007年10月22日にニューヨークの国連本部でベトナムが同条約に署名して以来、批准決議案可決までに7年あまりの歳月を要したのは、障害者法の制定（2010年。それまでは国会常務委員会により制定された障害者法令により対応されてきた）など、同条約に沿った国内法の整備に時間を要したためであった。同条約の批准により、ベトナムの障害者の権利はより強い法的根拠にもとづいて守られることになった。

　国会決議84では、第1条でベトナムが障害者権利条約を批准すると述べた後、

障害物で歩道がふさがれていることも（ハノイ市）

第2条でベトナムがすべての領域において同条約を実行することを約束した。そして続く第3条で、政府、最高人民裁判所、最高人民検察院、関連を有する機関・組織は自身の任務・権限の範囲において同条約を実行するとし、最後に第4条で国会常務委員会、民族評議会、国会の各委員会、国会代表が今決議の実行を監視するとしている。

国会での議論

　国会決議84が可決に至るまでの過程において、国会議員から以下のような意見が出されたことが伝えられている（以下、Quân đội nhân dân online、Nhân Dân Điện tử、Báo Điện Tử Đảng Cộng Sản Việt Nam 掲載記事に基づく）。

　ひとつ目には、障害者権利条約を批准することは、同条約の内容のすべてを実行しなければならないことを意味する。そして、この責任は政府のみのものではない。したがって、批准決議案第2条、第3条については、削除すべきである。

　ふたつ目には、批准決議案第3条について、同条約のベトナムにおける実行に対して責任を負う機関として「最高人民裁判所、最高人民検察院、関連を有する機関・組織」を補充すべきである。

　3つ目には、ベトナムの法体系と同条約の「互換性」を保全するために、現行の法律文書を見直す必要がある。

　最後に、同条約批准決議案が今国会で可決された後、同条約の内容を実行していくためのより具体的な計画が必要である。

　そして、国会会期の準備、招集、運営に責任を持つ国会の常務機関である国会常務委員会は、上記の提案・意見に対して以下のように対応したと伝えられ

歩道を走るバイク（ホーチミン市）

ている。

　上記した第1点目については、第2条の文言は同条約のすべての規定の実行を約束するベトナムの精神を表したものであるとの説明を行なった。

　2点目については、その意見を妥当と判断し、提案を受けた「最高人民裁判所、最高人民検察院、関連を有する機関・組織」を文言に補充することとした。

　3点目については、国会常務委員会は国会法律委員会、国会対外委員会、国会の関連機関、政府に対し、同条約の「内法化」のために今後必要な法整備などについて話し合い、意見を統一するよう指導した。同時に同条約第1条、第2条における障害者の概念に相応しいように法律文書における「障害（khuyết tật）」の用語の使用を統一する必要があるとした。

　4点目については、政府と協力し、ベトナムの条件にふさわしい形でそれぞれの段階のための具体的な要求・目標・政策とともに、同条約の実行路程を作成し、すみやかに推進するとの説明を行なった。

　このような国会常務委員会の対応の結果、国会決議84は、先述した形で国会において可決されたのである。

国内の状況

　障害者権利条約の批准は、ベトナムの障害を持つ人たちにとって、自身の権利を主張し、実現し、守るうえで大きな意義があると考えられる。しかし、ベトナムの現状と同条約が実現を求める環境・生活条件との間には、まだ大きな乖離があるのも事実である。

　たとえば、バリアフリーの問題がある。外出するにしても、ベトナムの現状

では障害を持つ人にとって大きな困難がともなう。障害者の自宅も含めて、建物にはまだ段差が目立つ。歩道も整備されていないことが多く、歩いて移動することも、車イスによる移動も容易とは言い難い。バイクや自動車に囲まれて、車道の真ん中を車イスで必死に移動する障害者の姿を何度か見かけたことがある。あらゆる人にとって最も大切な行動のひとつである排泄についても、障害者が外出時に安心して使用できるトイレはまだ少ない。

　自らの現状をしっかり踏まえたうえで、障害者権利条約の実行路程を明確に定め、着実かつ継続的に実行していくことがベトナムに求められている。

第27話　日本との関係

　日本とベトナムとの関係については、多くの諸先輩、関係者が専門的見地から既に論じており、筆者の出る幕ではない。しかし、日本とベトナムの関係を考えるとき、筆者がよく想起する個人的な経験がある。すでにいくつかの機会で紹介しているが、最初に記しておきたい。

製品が先に

2009年10月にベトナム北部紅河デルタに位置するある地方省で社会福祉関係の調査を実施した。その調査地は「市鎮」(農村部のなかでも中心地〈町〉)であったが、まだ農村的色彩を色濃く残していた。同地到着後、人民委員会への挨拶をすませ、調査期間中に泊まる宿を探した。普段はどこか見つかるのだが、そのときは見つけることができなかった。結局、その市鎮内にある、市鎮の直接上の行政級である「県」の人民委員会建物内の日頃使用されていない宿泊用の部屋を借りることになった。

　重い荷物を引きずって縦長の部屋に入ると、ベッドが両脇にひとつずつあり、正面奥に箪笥がひとつ置かれていた。ドアはないが、奥にもうひとつスペースがあって、覗いてみるとトイレとシャワーが設置されていた。様子を見て、すぐに熱いお湯はあきらめた。天井には緑色のカビのようなものがもこもこと広がっていて、深緑色にまで達していた。

　少しして、正面奥に置かれた箪笥の下部分に「SONY」と刻まれていることに気がついた。SONY製の箪笥を筆者は日本で見たことがない。同社が家具業界

ファン・ボイ・チャウのお墓（トゥアティエン＝フエ省）

に進出したという話も聞いたことがない。この箪笥を作った人、工場、会社は、箪笥にSONYと刻むことで、「ブランド」商品としての品質の良さを顧客にアピールできると考えたのではなかろうか。この一件により、現代のベトナムにおける日本の立ち位置のひとつを教えられた気がした。

　自身のベトナムにおけるそれまでの経験を振り返れば、思い当たることも多い。ベトナムの地方に出かけると、よく土地の人に声をかけられる。その際、バイク、自動車、時計、炊飯器・冷蔵庫などの日本メーカーの名称がつぎつぎと挙げられ、日本製品の品質、性能に対する賛美、称賛が続くことが多い。筆者の苗字の印象からユーモアを交えて「アジノモト」と呼ばれることもある。

　製品の方が先に普及しているため、ヒトとしての日本人よりも、モノとしての日本製品の印象の方が先に立つという側面が、ごく一般のベトナムの人たちにはまだある。へつらいではなく、事実として、日本製品の品質、性能の良さとそれに基づくイメージが、一般のベトナムの人たちの対日観の少なくとも一部を形成し、それが現代の日越関係の礎のひとつになっている側面がある。たとえば、タクシー会社のなかには、日本車しか使用していないことを宣伝、アピールする会社さえある（第11話　タクシー」参照）。

　こうしたなか、日本製品に対するベトナムの人たちの信頼を揺るがすようなことが万が一ベトナムで起きれば、ひとつの会社、商品の信頼を損ねたというにとどまらず、日越関係の礎にまで影響を与える可能性がある。ベトナムで活動する日本企業の方々には、自覚と覚悟を持って、一般のベトナムの人たちの信頼に応え続けていただけたらと願う。

食堂の厨房。壁には日本の会社の広告
が（ランソン省）

歴史的なかかわり

次に、現代の日越関係の歴史に関連して、いくつかふれておきたい。

1975 年 4 月 30 日にベトナム戦争が終わり、翌年 5 月～ 6 月に開かれた統一国
会を経て、現在のベトナム社会主義共和国が形成された。多くの国の支援を受
けて、ベトナムが戦後の復興と国作りに集中できる日が到来したかに思われた。
しかし、1978 年 12 月のカンボジアへの侵攻と、その後の駐留継続により、日本
を含む西側諸国、中国、東南アジア諸国とベトナムとの関係は悪化した。こう
した状況は 10 年余り続いたが、1989 年 9 月のカンボジア駐留軍の撤退完了と、
続く 1991 年 10 月のカンボジア問題に関するパリ和平協定の成立により、ベト
ナムの国際的な孤立状況は溶解に向かった。

一部の緊急人道支援を除いて滞ってきた対ベトナム経済援助の再開を、日本
政府は 1992 年に決定した。その少し前の 1987 年にベトナムで外国投資法が制
定されたのを受けて、翌年から日本企業がベトナムへの進出を本格化していた。
1996 年にはハノイ日本人学校、1997 年にはホーチミン日本人学校が設立され、
一般の日本人が家族連れでベトナムに長期滞在できる環境が、その当時の関係
者の尽力で築かれた。

ベトナム在留邦人数は、筆者の初めの赴任時（1999 年）は 2466 人であったが、
二度目の赴任時（2013 年）には 1 万 2254 人にまで増加した。ベトナムに滞在す

ベトナムの社会誌

る邦人向けの情報誌まで現地で普及するようになった。在留邦人数は、2016年
に1万6145人にまで達している。

残された記憶

　ベトナムでは博物館が暮らしの身近にあった。例えばハノイの歴史博物館と
革命歴史博物館は市の中心地域にあり、アクセスが容易である。歴史博物館は、
紀元前から1945年9月2日のホー・チ・ミン主席によるベトナムの独立宣言ま
でが主に紹介されている。他方、革命歴史博物館は、仏日米との戦いを含めた
植民地支配から現代に至るベトナムの歴史が主に紹介されている。

　革命博物館には、第2次世界大戦中に日本がベトナムに進駐し、先に植民地
支配を行っていたフランスとともにベトナムの共同統治を行ない、ほどなく単
独統治に踏み出す時期の展示もある。日仏共同統治時代の1944年にベトナム北
部で多数の餓死者が出る深刻な飢饉が発生したが、同事件に関する展示も行な
われている。

日越共同制作ドラマから

　二度目の赴任中には、2013年に日越国交樹立40周年を迎えたことを記念して、
日本のTBSと国営ベトナムテレビ（VTV）が共同制作した歴史ドラマを視聴す
る機会を得た。2013年9月29日に放送されたこのドラマは、ベトナムの独立運
動を指導したファン・ボイ・チャウ（1867～1940年）と日本の浅羽佐喜太郎医師
（1867～1910年）との友情を軸に描いたドラマであった（「第19話　テレビ放送の変
化」を参照）。このドラマでは、民族独立を実現するために日本からの支援を期待
するファン・ボイ・チャウらの思いに応えることができず、フランスとの条約
締結を期に、ファン・ボイ・チャウらを摘発、追放する側に日本政府が回る様
子も描かれている。たしかに浅羽医師はファン・ボイ・チャウを真剣にサポー
トした。しかし、これはあくまでも個人レベルの行為であった。

　現在、日本は対ベトナム政府開発援助（ODA）額、外国直接投資額において、
世界有数の国となっており、ベトナムの多くの場所で、日本拠出のODAプロ
ジェクトの看板を観ることができる。

　しかし、だからといって、歴史に無関心でいいということにはならないと筆
者は考える。現在、そして未来の日越関係の発展のための礎には、それぞれの
日本人の謙虚な歴史に対する理解、反省も含まれている。

第28話　対中国関係の緊張

　2014年5月23日朝6時ごろ、ベトナム戦争時に北ベトナム軍の戦車が突入したホーチミン市第1区にある統一会堂（旧南ベトナム大統領府）前で、1人の老婦人が亡くなった。焼身自殺だった。

　老婦人の鞄からは、「中国はベトナムの領海から出ていけ」、「ベトナムは団結する」、「ベトナム海上警察を応援する」などと書かれた横断幕が見つかった。

　2014年5月に入り、ベトナムが歴史的経緯にもとづいて領有を主張するホアンサ（西沙）諸島の近海、ベトナムの排他的経済水域内、大陸棚において、中国がベトナムの了解を得ずに石油掘削機を設置して活動を続けていた。焼身自殺は、それに対する抗議だったと考えられる。

　当時はディエンビエンフー戦勝60周年（1954年5月7日〜2014年5月7日）を迎え、ベトナム国民の意識が高揚していた時期でもあり、老婦人の抗議行動に先立ってベトナム各地で中国に対する抗議デモが起きていた。2014年5月中旬には、数日間にわたり、ハティン省、ビンズオン省、ドンナイ省、ホーチミン市、ハノイ市などで対中抗議デモが発生した。中国企業だけでなく、台湾や日本の企業も襲われ、死傷者も出た。日本企業では建物のガラスが割られるなどの被害があった。この後、ベトナム当局は法律に反して過激な行動をした者については、厳格に対処する方針を打ち出した。

日常生活への影響

　騒動は、当時ホーチミン市に滞在していた筆者の家族にも影響を与えた。子どもが当時通っていたホーチミン市第7区にある日本人学校は、2014年5月15日（木）〜16日（金）に休校となった。日本人学校の近くに台湾人学校があり、誤って暴徒に攻撃される恐れがあるためとのことだった。

　また、中国人とよく間違えられる筆者は、仕事で外出するたびに周囲の目線を気にせざるをえなかった。仕事場が近かったため、老婦人が焼身自殺した場所のすぐ近くを筆者は毎日のように行き来していた。実際、すれ違いざまに厳しい目線をこちらに向ける人もいた。

　その後、国内での抗議行動は沈静化に向かった。中国側の活動開始から2カ

「ベトナムの海島の主権を堅持しよう」
との標語（ホーチミン市）

　月ほどたつと、ホーチミン市内では平静を保ちつつ、南シナ海におけるホアン
サ諸島、チュオンサ（南沙）諸島に対するベトナムの主権保有の根拠を示す展示
会が、ホーチミン市の図書館で開かれたり、両諸島に対するベトナムの主権保
有を訴えるポスターや写真の展示が同市美術館で行われたりしていた。

　しかし、国内の抗議行動が沈静化に向かう一方で、海上での緊張は依然とし
て続いていた。

　ベトナム側の報道によれば、中国は同海域で軍艦数隻を含む100隻超の船を
展開し、軍用機も用いた。これに対して、ベトナム側は巡視船、漁業監視船を
同海域に送るなど、一歩も譲らなかった。

　このような緊迫した状況について、ベトナムの看板テレビニュース番組「19
時のニュース」（「第18話　アナウンサーの発音」、「第19話　テレビ放送の変化」参照）も
問題の海域に特派員を派遣して、船舶上から連日報道を続けた。お茶の間に放
送される映像には、ベトナム漁船が中国船に後ろから追突されて沈没する場面、
中国船がベトナム船に向かって突進、衝突し、ベトナム船が激しく破損する場
面、中国船が放水砲でベトナム船を攻撃する場面なども含まれていた。

　関連報道に接することがほぼ習慣化し、騒動が始まって2カ月以上過ぎた
2014年7月16日、「19時のニュース」は、中国側が石油掘削機をベトナムが抗
議していた海域から移動させたことを伝えた。

考えられる要因

　過去にも西沙諸島、南沙諸島の領有をめぐり、対中国抗議行動が起きることはあった。しかし、今回のような騒ぎに発展することは、筆者の知る範囲ではなかった。なぜこうした状況にまで至ってしまったのだろうか。

　それには、以下の4つの要因が考えられる。ひとつ目には、ベトナム側の「許容範囲」を超える中国側の動き。ふたつ目には、同じ時期にベトナムはディエンビエンフー戦勝60周年を迎えており、国民の意識が高揚していたこと。3つ目には連日繰り返された生々しい報道。最後には、過度な行動に対する警告の遅れ、である。

　今回のような対立状況を含め、ベトナムは数千年という単位で中国との交流を続けてきた。陸上国境については、ベトナムと中国は国境画定、標識設置作業と関連重要諸文書の締結を2008年末から2009年までに終えている。基本的には、両国間に残る国境問題は領海をめぐる問題という段階に入っている。

　ベトナムと中国の地理的環境は変えることができない。いわば宿命である。いろいろな問題があるとはいえ、ベトナム戦争時には、ソビエトと並び、中国からの援助が北ベトナム側の戦闘継続を支えた。また、ドイモイ初期の1989年に中国との国境貿易が再開したことは、当時のベトナム国内のモノ不足を解消することに貢献し、ドイモイ推進の追い風になったことも事実だと思われる。

　ベトナムは、経済成長の達成と経済成長の質的転換など、さまざまな重要な国内課題に力を傾注しなければならない時期にある。もし今回と同じようなことがふたたび起きた場合、ベトナムとしては、国際社会と連携しつつ、主張すべきは主張しながら、冷静かつ沈着に粘り強く行動し続けるしかないと考えられる。

第29話　インドとの関係

　インドといえば中国に伍するアジアの大国である。中国の台頭が国際関係における顕著な特徴となった現代にあって、ベトナムにとって対中バランサーとしてのインドの存在は重要度を増している。

　筆者の初めての長期赴任時（1999年3月～2001年3月）においては、インドやイ

ンド文化に触れる機会は、ハノイの歴史博物館でインド文化の影響を受けたチャンパ王国（後述）の彫像を観るなど、わずかな機会しかなかった。これに対して、二度目の長期赴任中には、思いがけずインド、インド文化に接する機会もあった。以下、いくつかの経験を紹介したい。

　ベトナム南部の中心都市ホーチミン市に長期赴任中の2014年、同市内にいくつかあるヒンドゥー教寺院を訪れる機会はなかったが、ベトナムでインドのテレビドラマが放映されているのを筆者は初めて確認した。そのドラマは、早婚問題を取り上げたインドの著名なドラマ「少女の花嫁（Balika Vadhu）」であり、ベトナムでは「8歳の花嫁（Cô dâu 8 tuổi）」というタイトルで放映されていた。

　ベトナムで法律上結婚が認められるのは、女性18歳、男性20歳である。ベトナムの家族戦略（「2030年を視野に入れた2020年までの家族発展戦略」）では、目標のひとつとして、法律に定めた年齢よりも低い年齢で結婚する構成員がいる家族を毎年平均15％減らすこと（経済的に困難または特別困難な地域においては10％）を目標として掲げている。ベトナムでも少数民族が暮らす地域を中心として、早婚問題が対処すべき課題とされているのだ。こうしたことが、「8歳の花嫁」がベトナムで放映された要因のひとつだと考えられる。

　ベトナム語版ウィキペディアによると、「8歳の花嫁」は2014年11月からベトナムで放送が開始され、筆者がベトナムを離れる2015年3月までに少なくとも125話（45分/1回）が放映されている。放映が終了する2017年2月には、全1138話にまで達した。たとえば最近のNHKの朝の連続ドラマで全150〜156話（15分/1回）、大河ドラマで全50話（通常45分/1回）ほどである。筆者は話の長さに恐れをなして、このドラマを少し覗き見るにとどまった。

　インドのドラマについては、2017年に北部の紅河デルタ地域で福祉調査を実施した際、1人の障害を持つ女性がインドのドラマを観ていると教えてくれた。「インドのほうがベトナムより封建的に感じる」とのことだった。ベトナムの視聴者が、中国や韓国のドラマと同様の頻度でインドのドラマを視聴する時代がやって来るのだろうか。

ザウ寺とチャンパ王国遺構
　2回目の長期滞在中にベトナムにおけるインド文化の影響に直接触れる機会が、そのほかにいくつかあった。

　ハノイ赴任中の2013年7月、休日にハノイから約30キロ離れた、バクニン省トゥアンタイン県にあるザウ寺を訪問した。筆者にとっては2001年以来二度

ミーソン遺跡の遺構（クアンナム省）

目の訪問であった。紀元初期に建立され、当時の仏教の信仰、普及の中心地であったところである。ザウ寺にはインド僧ゆかりの仏像が祀られている。ザウ寺とそれが位置したルイラウには多くのインド僧が紀元初期から訪れていたという。ちなみに2回目の訪問時にいちばん印象に残ったのは、尼僧がスマートフォンを使用し、自動車を運転していたことだった。

　次の機会は、2013年12月末に休暇旅行でベトナム中部クアンナム省ズイスエン県に位置するミーソン遺跡を訪問したときであった。この遺跡はベトナムの中部、中南部に2世紀末から千年を超えて続いたチャンパ王国の聖地であり、1999年にユネスコの世界文化遺産に登録された。チャンパ王国はヒンドゥー教に由来するシヴァ神を祀るなど、仏教も含めたインド文化の影響を受けた王国であり、現在も残るチャム族はその末裔とされる。

　そして最後は、2014年11月半ばから同月末にかけて、ベトナム中部南方沿海地域に位置するビントゥアン省ファンティエット市で社会福祉関係の調査を実施したときのこと（「第17話　ファンティエットにて」参照）である。空き時間にこの地にあるポーサヌー遺跡を訪問した。ポーサヌー遺跡もミーソンと同じくチャンパ王国の遺構であり、その祠堂は、ヒンドゥー教に由来するシヴァ神を祀るために8世紀末から9世紀初めに建てられた。チャンパの遺構様式としては早期のものという。

　巨大な隣国中国との関係についてよく取り沙汰されるベトナムではあるが、その国土には千年を超える単位でインド文化の生きた証が残されている。

中国台頭のなかで

　近年、重要であるにもかかわらず、これまで実際の重要度ほどには注目されてこなかったこのベトナム・インド関係に関心が持たれはじめている。冒頭に記したように、背景のひとつには中国の台頭がある。

　南シナ海のホアンサ（西沙）諸島、チュオンサ（南沙）諸島をめぐる中国などとの領有権問題は、長らくベトナムにとって懸案事項となっている。この問題は特に2007〜2009年ぐらいから問題が「熱化」の様相を見せてきた（「第28話　対中国関係の緊張」参照）。

　ベトナムとインドは、首脳レベルの相互訪問など、高いレベルでの交流を続けてきたが、2007年以降、たとえば以下のような関係強化に向けた動きがあった。

　2007年7月のグエン・タン・ズン首相のインド訪問の際、政治、経済・通商、保安・国防、科学・技術、文化・社会、地域問題、国際問題といった幅広い協力の柱にもとづいて、両国は正式に「戦略的パートナーシップ」の確立に合意した。

　つぎに、ズン首相は、2011年7月5日にベトナム社会科学院に属するインド・南西アジア研究所の設立を決定した。この研究所の活動開始を記念する式典が、両国の外交関係樹立40周年（1972年1月7日〜2012年1月7日）を迎えた2012年1月7日に行なわれた。

　そして、2016年9月のナレンドラ・モディ首相によるベトナム訪問の際、グエン・スアン・フック首相との間でベトナム・インド関係を「戦略的パートナーシップ」から「全面的な戦略的パートナーシップ」に引き上げることに合意した。両国は、地域および世界の平和、安定、協力、繁栄の強化に対する貢献を視野に入れながら、さらなる関係強化を目指すという。ベトナムが「全面的な戦略的パートナーシップ」に合意した国としては、中国とロシアに次いで3カ国目となる。

　中国の世界政治経済関係におけるプレゼンスの顕著な拡大という時代状況において、歴史的な関係をも有するインドとの関係強化という外交オプションは、ベトナムの独立性を守る上で引き続き重要なものであり続けると考えられる。

おわりに

　筆者はアジア経済研究所に入所した 1994 年 10 月以降、ベトナム関係の仕事に携わってきた。ドイモイ後のベトナムが工業化・近代化推進の段階に入った頃から、ベトナムについて学び始めたことになる。長期赴任は、1999 年 3 月～ 2001 年 3 月、2013 年 3 月～ 2015 年 3 月の 2 回経験した。この間にベトナムは体制の基礎的部分を維持しながらも、大きく変化した。そして今も変わり続けている。

　地域について理解しようとする時、そこにはさまざまな形、試みがあってもいいのではないかと筆者は思う。本書では、生活に身近でこれまであまり取り上げられていないようなトピックをなるべく選ぶように心がけた。たとえ地味な話題であっても、生の経験、実際に見聞きしたことをベースに、現地発の資料を読み解きながら、記憶の記録としてひとつの束にして残しておけば、読者の皆さんがベトナムと自身の生きる時代について考える材料になるかもしれないと考えた。そして、こうした作業はまた、妻と息子をはじめ、筆者と同時代を共に生きる人たちの「時」を刻み、記す作業でもあった。

　しかし、本書の作業は、ベトナムを取り巻く変化の大きな奔流に小石を投げ込むようなものだと思われる。忘却という大海まで流されてしまう前に、どこか途中の川底に辿り着いてくれたらと願う。

　本書の内容は、『アジ研　ワールド・トレンド』(2018 年 3 月休刊) に 2014 年 8 月から 2017 年 3 月まで隔月で連載した「ベトナム歩道」(全 16 話) の原稿に加筆修正を加えたものが柱のひとつとなっている。連載時には、同誌の編集を担当されていた真田孝之さん、永野康子さんにお世話になった。

　また、本書の章立ては、アジア経済研究所の編集・出版アドバイザー勝康裕さんとの意見交換を通して形作られた。そのほかにも勝さんには、さまざまなアドバイスをいただいた。

　そして、風響社の石井雅社長は、面識もない筆者が送付した本書企画案に同

意してくださり、本書の出版を引き受けて下さった。また、編集部の古口順子さんには貴重なご意見をいただいた。

　このような多くの方々のお力添えがあったからこそ、本書をまとめることが出来た。記して感謝申し上げたい。

　最後に、本書が、既に鬼籍に入った父正己、母直美をはじめ、日本、ベトナム、オーストラリアなどでこれまでお世話になったすべての皆さまへのささやかな返礼のひとつになればと願う。

　2019 年　12 月

寺本　実

出所一覧・参考文献・略年表・地図

　今回書き下ろしたもの以外の拙稿については、本書への収録にあたり加筆修正を行った。また、本書で使用した写真はすべて筆者が撮影したものである。

　第1話：2014「ベトナムの『通り』」『AWT』10月号、51頁。
　第2話：2013「海外研究員レポート　ヴァン・カオ通りから」『IDE スクエア』（2013年10月3日付）。
　第3話：2015「街の歴史」『AWT』6月号、42頁。
　第4話：2015「ホーチミン市博物館」『AWT』11月号、52頁。
　第5話：2014「街のコピー屋さん」『AWT』12月号、56頁。
　第6話：2015「郵便局」『AWT』8月号、62頁。
　第7話：2015「ファーストフード」『AWT』4月号、56頁。
　第8話：書き下ろし。
　第9話：2002「セー・ダップ」『AWT』6月号、53頁。
　第10話：2014「ハノイの市バス」『AWT』8月号、53頁。
　第11話：2016「タクシー」『AWT』1月号、52頁。
　第12話：書き下ろし。
　第13話：書き下ろし。
　第14話：2014「海外研究員レポート　多様な暮らしと時代の流れ」『IDE スクエア』（2014年4月2日付）。
　第15話：2017「風景」『AWT』3月号、56頁。
　第16話：2015「地方でのおもてなしから」『AWT』2月号、51頁。
　第17話：2015「ファンティエットにて」（フォトエッセイ）『AWT』10月号、44—47頁。
　第18話：2016「アナウンサーの発音」『AWT』5月号、56頁。
　第19話：2014「海外研究員レポート　ベトナムのテレビ放送の変化」『IDE スクエア』（2014年10月1日付）。
　第20話：2016「におい」『AWT』3月号、66頁。
　第21話：2016「音」『AWT』7月号、39頁。
　第22話：2016「涙」『AWT』9月号、44頁。
　第23話：2016「運動・スポーツ」『AWT』11月号、44頁。
　第24話：2017「パラリンピック」『AWT』1月号、49頁。
　第25話：書き下ろし。
　第26話：2015「海外研究員レポート　障害者権利条約の批准決議案を可決」『IDE スクエア』（2015年1月2日付）。
　第27話：書き下ろし。
　第28話：2014「海外研究員レポート　国際問題の影響」『IDE スクエア』（2014年7月2日

付）。

第 29 話：書き下ろし。

注：『AWT』は、『アジ研ワールド・トレンド』、アジア経済研究所刊行。『IDE スクエア』は、アジア経済研究所のウェブ・マガジン（https://www.ide.go.jp/Japanese/IDEsquare.html）。

参考文献

石井米雄監修、桜井由躬雄・桃木至朗編

    1999 『ベトナムの事典』同朋舎。

木村哲三郎

    1996 『ベトナム：党官僚国家の新たな挑戦』アジア経済研究所。

桜井由躬雄

    1989 『ハノイの憂鬱』めこん。

白石昌也

    1993 『ベトナム：革命と建設のはざま』東京大学出版会。

白石昌也、竹内郁雄編

    1999 『ベトナムのドイモイの新展開』アジア経済研究所。

竹内郁雄

    1989 「豊かさへの苦闘：政治と経済」『もっと知りたいベトナム』桜井由躬雄編、弘文堂、150—171 頁。

    （訳書）ベトナム共産党宣伝部中央教宣委員会編『ベトナムの社会主義経済学』アジア経済研究所。

坪井善明

    1994 『ヴェトナム：「豊かさ」への夜明け』岩波書店。

寺本　実

    2012 「第 11 回党大会を巡る議論に向けて」『転換期のベトナム：第 11 回党大会、工業国への新たな選択』寺本実（編）、アジア経済研究所、3—21 頁。

    2016 「ベトナムにおける公的末端医療機関の制度的位置づけ・役割と課題：現場責任者の状況認識に関わる事例研究に基づく一考察」『アジア経済』第 507 巻第 4 号、アジア経済研究所、66-84 頁。

    2017 「特集にあたって」（特集　ドイモイ 30 年：模索するベトナム）『アジ研ワールド・トレンド』3 月号、アジア経済研究所、2—3 頁。

    2018 「新時代ベトナム・インド関係の行方：ベトナム側の視点」（世界を見る眼欄、アジア経済研究所『IDE スクエア』2018 年 2 月）。

古田元夫

    1996 『ベトナムの現在』講談社。

    2009 『ドイモイの誕生：ベトナムにおける改革路線の形成過程』青木書店。

    2015 『増補新装版ベトナムの世界史：中華世界から東南アジア世界へ』東京大学出版会。

2017 『ベトナムの基礎知識』めこん。

アジア経済研究所

『アジア動向年報』（各年版）アジア経済研究所。

ウェブサイト

　本書執筆に際しては、トピックの性質と必要に応じて、言及した各機関の公式サイトと以下のウェブサイトに主として情報を求めた。また、情報が限られている場合には、ベトナム語版ウィキペディア記載の情報も参考にした。

Báo Điện Tử Đảng Cộng Sản Việt Nam (https://dangcongsan.vn)

Báo Dân Việt (https://danviet.vn)

Dân Trí (https://dantri.com.vn)

Đọc báo điện tử Kiến Thức (https://Kienthuc.net.vn)

Kenh 14 (http://Kenh14.vn)

Nhân Dân Điện tử (https://nhandan.com.vn)

Quân đội nhân dân online (https://www.qdnd.vn)

Thể thao & Văn hóa (https://thethaovanhoa.vn)

Tin tức báo Thanh Niên (https://thanhnien.vn)

tuổi trẻ online (https://tuoitre.vn)

VietNamNet (https://vietnamnet.vn)

VnExpress (https://vnexpress.net)

略年表

年	主な出来事
1975 年 4 月	ベトナム戦争終結（4 月 30 日）。
1976 年 6 月〜7 月	南北統一第 1 回国会を開催。現在のベトナム社会主義共和国成立。
1976 年 12 月	第 4 回ベトナム労働党大会を開催。ベトナム共産党に改称（以下、「党」と記す）。社会主義的工業化の短期達成を目指す。
1979 年 8 月	第 4 期第 6 回党中央委総会を開催。地方の裁量権拡大、非社会主義セクターの積極的活用など、国内の潜在力発揮を模索。
1981 年 1 月	党書記局が生産物請負制の適用を促進する 100 号指示を出す。農民に土地を割り当て、生産目標達成後の余剰分に対し、処分権を認める。
1982 年 3 月	第 5 回党大会を開催。ベトナムの状況を社会主義への「過渡期」の「最初の段階」と規定。特に農業、そして消費財生産、輸出振興を重視へ。
1985 年 6 月	第 5 期第 8 回党中央委総会、価格—賃金—通貨の一斉改革の断行を決議。全国的規模で配給制度の廃止に取り組みへ。
1986 年 7 月	レ・ズアン党書記長死去。後任には党内序列 2 位のチュオン・チンが就任。
1986 年 12 月	第 6 回党大会を開催。ドイモイ路線を正式に採択。
1987 年 12 月	第 8 期第 2 回国会、広く海外からの投資を誘致するため、外国投資法を可決。
1988 年 4 月	党政治局が個々の農家を農業経営の基本単位と認める第 10 号決議を出す。
1989 年	中国との国境貿易が再開。
1989 年 9 月	カンボジア駐留ベトナム軍の撤退が完了。
1990 年 3 月	第 6 期第 8 回党中央委総会で積極的な政治改革の必要を主張したチャン・スアン・バィック党政治局員が解任される。
1991 年 6 月	第 7 回党大会を開催。マルクス・レーニン主義に加え、故ホー・チ・ミン国家主席の 「思想」に由来する「ホー・チ・ミン思想」が党の思想的基盤、行動指針とされる。
1992 年 4 月	第 8 期第 11 回国会において 1992 年憲法を制定。「国家の管理を伴った市場経済メカニズムに従った多セクター商品経済」の発展について定める。
1994 年 1 月	任期中間党大会、開催。マクロ経済の安定を基本的に達成しており、工業化・近代化推進の段階に入っているとの認識を示す。
1994 年 2 月	アメリカの対ベトナム経済制裁が解除される。
1995 年 7 月	東南アジア諸国連合（ASEAN）に加盟。
1995 年 8 月	アメリカと外交関係樹立文書を交換。
1996 年 6 月〜7 月	第 8 回党大会を開催。工業化・近代化推進の段階に入り、2020 年までに基本的に工業国になるとの目標が定められる。
2000 年 7 月	アメリカと通商協定に調印。

2001 年 4 月	第 9 回党大会を開催。外国投資セクターを正式な経済セクターとして位置付け。近代志向の一工業国になることを目指す。
2001 年 11 月	党政治局が国際経済参入について決議を出す。
2001 年 12 月	アメリカとの通商協定が発効。
2004 年 11 月	党政治局が工業化・近代化推進期における環境保護について決議を出す。
2006 年 4 月	第 10 回党大会を開催。2006 ～ 2010 年を 2020 年までに近代志向の工業国を築くための土台作りの時期と位置づけ。低開発状態からの脱却目指す。
2007 年 1 月	世界貿易機関（WTO）に加盟。
2008 年	1 人当たり国内総生産（GDP）が 1000 ドルを超える。
2011 年 1 月	第 11 回党大会を開催。物的資本の投入に依拠する従来の経済成長モデルから労働生産性・技術レベルの向上に基づく経済成長に転換へ。
2013 年 11 月	第 13 期第 6 回国会、2013 年憲法を制定。社会保障（an sinh xã hội）という用語を初めて用い、国民の権利として定める。
2014 年 5 月 ～ 7 月	ホアンサ（西沙）諸島の近海、ベトナムの排他的経済水域内で中国が石油掘削機を設置し活動。ベトナム側は同海域に船舶を出して、強く抗議。
2015 年 7 月	2015 年 4 月の中国訪問に続き、グエン・フー・チョン党書記長がアメリカを訪問。党書記長による訪米は初。
2016 年 1 月	第 12 回党大会を開催。2020 年までに近代志向の工業国になるために設定した指標、基準が未達成であることを認める。早期目標達成に向けて引き続き努力を継続へ。

（出所）前掲の参考文献および筆者作成資料に基づき、筆者作成

1 ディエンビエン省
2 ライチャウ省
3 ラオカイ省
4 ハザン省
5 カオバン省
6 イェンバイ省
7 トゥエンクアン省
8 バクカン省
9 ランソン省
10 タイグエン省
11 ヴィンフック省
12 フートォ省
13 ソンラ省
14 ハノイ市(首都、中央直轄市)
15 バクニン省
16 バクザン省
17 クアンニン省
18 ハイフォン市(中央直轄市)
19 ハイズオン省
20 フンイェン省
21 ホアビン省
22 ハーナム省
23 タイビン省
24 ナムディン省
25 ニンビン省
26 タインホア省
27 ゲアン省
28 ハティン省
29 クアンビン省
30 クアンチ省
31 トゥアティエン=フエ省
32 ダナン市(中央直轄市)
33 クアンナム省
34 クアンガイ省
35 コントゥム省
36 ビンディン省
37 ザーライ省
38 フーイェン省
39 ダクラク省
40 ダクノン省
41 カインホア省
42 ニントゥアン省
43 ラムドン省
44 ビンフォック省
45 タイニン省
46 ビンズオン省
47 ドンナイ省

48 ビントゥアン省
49 バリア=ヴンタウ省
50 ホーチミン市(中央直轄市)
51 ロンアン省
52 ドンタップ省
53 アンザン省
54 ティエンザン省
55 ベンチェ省
56 ヴィンロン省
57 カントー市(中央直轄市)
58 ハウザン省
59 キエンザン省
60 チャヴィン省
61 ソクチャン省
62 バクリュウ省
63 カマウ省

中国

ホアンサ
(パラセル諸島
(西沙諸島)

南シナ海

タイ

ラオス

カンボジア

フーフォック島

チュオンサ
(スプラトリー諸島)
(南沙諸島)

コンダオ島

－··－··－ 国境
－··－··－ 省境
⊙ 首都

地図1 ベトナム全図
(出所)『2012 アジア動向年報』アジア経済研究所、193 ページの地図を一部修正して掲載

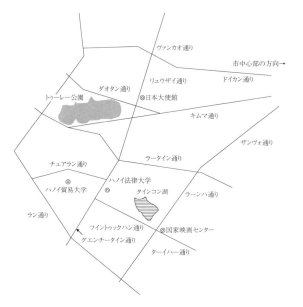

地図2　ハノイ市本書関連地図（筆者作成）

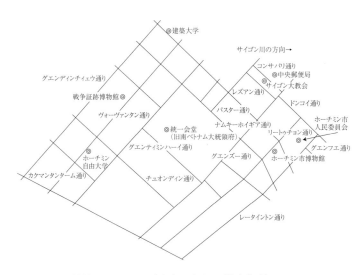

地図3　ホーチミン市本書関連地図（筆者作成）

執筆者紹介

寺本　実（てらもと　みのる）

1966 年生まれ。名古屋大学大学院国際開発研究科国際協力専攻（修士）。アジア経済研究所地域研究センター所属。ベトナム地域研究に従事。

主な編著に、『現代ベトナムの国家と社会——人々と国の関係性が生み出す〈ドイモイ〉のダイナミズム』明石書店 2011 年。主な著作に、「ベトナムの枯葉剤被災者扶助制度と被災者の生活——中部クアンチ省における事例調査に基づく一考察」（論文『アジア経済』第 53 巻第 1 号、2011 年 1 月）、「ベトナムの障害者の生計に関する一考察——タインホア省における、取り巻く環境との関係性に関する事例研究を通して」(研究ノート『アジア経済』第 54 巻第 3 号、2013 年 9 月)、"Vietnamese Families and the Lives of Family Members with Disabilities: A Case Study in a Commune of the Red River Delta." *IDE DISCUSSION PAPER* No.720, June 2018 など。

ベトナムの社会誌　ドイモイ期の記憶の断片

2020 年 1 月 20 日　印刷
2020 年 1 月 31 日　発行

著　者　寺　本　　　実

発行者　石　井　　　雅

発行所　株式会社　風響社

東京都北区田端 4-14-9　（〒 114-0014）
TEL 03（3828）9249　振替 00110-0-553554
印刷　モリモト印刷

Printed in Japan 2020 ©Minoru Teramoto　　　ISBN987-4-89489-414-3　C0036